어려운 금융 공부 좀 재밌게 해볼까?

'채권'과 '금리스왑'

개정판

A Fun Introduction to Bonds & Interest Rate Swaps

Second Edition

Dr. HikiEconomist

어려운 금융 공부 좀 재밌게 해볼까? '채권'과 '금리스왑' (개정판)

발 행 | 2024년 3월 22일
저 자 | Dr. HikiEconomist
펴낸이 | 한건희
펴낸곳 | 주식회사 부크크
출판사등록 | 2014.07.15.(제2014-16호)
주 소 | 서울특별시 금천구 가산디지털1로 119 SK트윈타워 A동 305호
전 화 | 1670-8316
이메일 | info@bookk.co.kr

ISBN | 979-11-410-7753-2

www.bookk.co.kr

어려운 금융 공부 좀 재밌게 해볼까?

'채권'과 '금리스왑'

개정판

A Fun Introduction to Bonds & Interest Rate Swaps

Second Edition

Dr. HikiEconomist

Table of Contents

알쓸 금융 상식

금리스왑(IRS)

부록(Appendix)

Preface

고백하자면, 젊었을 적 필자는 금융(Finance)이란 분야가 너무 재미없었다. 대부분의 금융/재무 분야 교과서들이 매우 딱딱한 방식으로 쓰였기 때문이기도 하지만, 아무런 흥미로운 백그라운드 스토리도 없이 수학 문제만 풀어대는 '무미건조한' 분야라는 느낌이 강했기 때문이다. 이는 비록 수학적으로 만만치 않게 엄격(rigorous)하지만 그래도 '스토리'가 있기에 나름 공부하는 재미를 선사한 다른 미시경제학 분야들과의 차이점이었다.

그런데 어쩌랴... 재미가 없고 싫어도 *그깟 푼돈 좀 벌어 보겠다고* 금융계에 발을 들여 놓은 이상 빡세게 공부해야만 했다. 아쉽게도 각종 복잡한 금융상품들의 구조와 시장 다이내믹스에 관한 수많은 궁금증들에 필자가 원하는 수준의 완벽한 답변을 해줄 능력을 갖춘 사람은 주위에 아무도 없었다. *마바라들밖에는...* 따라서 답을 찾기 위한 모든 공부는 당시 無에서부터 시작해 필자 스스로 혼자 해나가야만 했다.

젊은 시절엔 밤낮으로 업계 리서치 페이퍼들뿐만 아니라 금융 분야의 학계 논문들까지 닥치는 대로 읽어 나갔고, 관련된 각종 'Legal Documentation'들도 해외 로펌 발간 자료들과 함께 이해가 될 때까지 원문(original text)을 처음부터 끝까지 여러 번 정독하는 일을 반복해 나갔다. *수년간 잠도 제대로 못 잤을 정도로...* 그 결과 금융의 여러 다양한 분야에 걸쳐 충분히 깊은 이론적 지식 기반을 갖출 수 있었고, 오랜 동안의 광범위한 실무 경험과 합쳐지며 매우 유니크(unique)한 입장에서 남에게 금융 지식들을 가르칠 수 있는 능력을 갖추게 되었다.

필자는 이 책을 졸음을 유발하는 수많은 교과서나 교재들로부터 차별화시키기 위해 가능한 한 재미나는 방식으로 쓰려고 노력했다. 책 전반적으로 ·비속어적인 표현들과 구어체적 표현들이 자주 등장할 예정이니, 미리 경고하는 바이다. 물론 인터넷에서만 쓰는 용어들까지 포함해서다. 이제 2020년대고 새로운 시대가 아니던가. 더 이상 예전과 같은 '딱딱한' 공부는 그만해도 되지 않을까. 금융 분야에서는 필자가 그 첫 선을 끊으리 한다. (곧 경제학 분야도 끊어 주런다 ㅎㅎㅎ) *그렇나고 또 쉬운 내용들만 다루는 건 아니니 주의 요망! 미·적분과 행렬도 등장할 예정임... (-_-;)*

필자는 오랜 기간 금융계에 우글거리는 수많은 '마바라'들을 봐왔다. 필자가 지칭하는 '마바라'란, 초딩 수준의 산수도 직접 못 푸는 수준이면서 본인이 자칭 금융 전문가라며 '정신승리'해대는 이들을 가리킨다. 즉, 금융에 대한 아무런 깊은 지식도 없고 노력도 안 하는데 본인 스스로를 전문 금융인이라 굳건히 믿는 '병자'들 말이다. 필자의 책을 통해 금융에 관심이 있는 오늘날의 젊은이들이 이런 구세대 '마바라'들의 전철을 밟지 않았으면 하는 바람이다. 그리고 무미건조할 수 있는 채권 및 금융파생상품 분야에 젊은이들이 새롭게 흥미를 가지는 데도 이 책이 조금이나마 도움이 되었으면 한다.

2022년 7월 31일

Dr. HikiEconomist

저자 소개: 美 아이비리그(Ivy League)와 英 옥스브리지(Oxbridge)에 속한 대학들에서 경제학 학사, 석사, 그리고 박사 학위를 취득하였다. 한 연구 기관에서 수여하는 논문 경진대회 대상을 수상하기도 했다. 학계에 남거나 국제기구 혹은 각국의 중앙은행으로 향한 동기들과는 달리 투자은행 업계로 진출하여 글로벌 금융기관의 다양한 프런트 오피스(Front Office) 포지션들에서 자본 시장의 거의 모든 금융상품들을 직접 다룬, 매우 유니크(unique)한 커리어의 금융·경제 분야 전문가이다. 현재 「MZ세대를 위한 경제학 원론」(가제)을 집필 중에 있다.

Preface to the Second Edition

이 책의 초판(First Edition) 집필을 끝내고 출간까지 마친 지도 벌써 1년 4개월... 나이를 먹을수록 시간은 참 빨리 흐르는 듯하다. _ㅠㅠ ㅠㅠ_ 비록 긴 시간은 아니라 할 수 있지만 국제 금융 시장엔 그간 많은 변화들이 발생하였다. 그중 가장 중요한 이벤트는 아마도 2023년 6월 말, 주요 만기 달러화 라이보(LIBOR) 금리들의 고시가 모두 종료된 사건이 아닐까 싶다. '세계에서 가장 중요한 숫자'로서 50년도 넘는 기간 동안 국제 금융 시장 전반에 걸쳐 사용돼온 벤치마크 금리가 이제는 역사 속으로 거의(?) 사라진 것이다. 여기서 '거의'란 단어를 쓴 이유는, 일부 라이보 금리가 2024년 1월 현재까지도 완전히 죽지 않고(?) '합성된(synthetic)' 형태로 계속 존재하기 때문이다. 시장의 혼란을 덜기 위해 억지로 만들어낸 이 'Synthetic LIBOR'는 달러물의 경우 적어도 2024년 9월 말까지는 계속해서 산출 및 고시될 예정에 있다. _참 징하다, 징해... 그 후에도 또 연장돼서 라이보님은 몇 년 더 살아계실 수도... 쿨럭._

비록 현재는 합성된 버전으로만 존재하지만, 스왑을 포함한 금융파생상품에 대한 설명의 시작은 라이보 금리와 함께 하는 것이 중요하다고 필자는 생각하기에, 초판의 라이보를 사용한 설명들은 그대로 두었음을 알린다. 이는 오늘날의 새로운 벤치마크 금리인 소퍼(SOFR) 금리부터 설명하는 방식보다는, 이보다 더욱 다이내믹했고 재미난 스토리를 지녔던(?) 라이보 금리 및 그 연계 상품들을 먼저 소개하는 방식이 금융 초보자들의 수월한 이해를 돕는 데 더욱 효과적일 거라 확신하기 때문이다. 익일물인 SOFR는 기간물 LIBOR 대비 굉장히 '무미건조한' 금리 인덱스가 아니던가... 또한 세계 금융 시장의 역사를 이해하는 데 있어서도 라이보 금리는 필수적인 개념이기에 시장의 과거 스탠더드에 기반해 먼저 설명하고, 최근의 스탠더드가 그로부터 어떻게 변했는지 부연하는 방식을 취하였다. 초판에 비해 LIBOR의 종료 및 SOFR 금리와 관련된 내용들이 후반부에 더 추가되었음은 물론이다.

앞의 오리지널 Preface에도 언급했지만, 책 전반적으로 비속어적인 표현들과 구어체적 표현들이 자주 등장할 예정이니, 미리 경고하는 바이다. *그런 말투를 싫어하는 점잖은 이들한텐 미안타. (-_-;)* 시중에 널린 대부분의 교재들처럼 졸음이나 유발하는 딱딱한 형식의 책이 아니라, 재미나게 공부할 수 있는 좀 더 '독자 친화적'인 책을 쓰고 싶었기에 그러한 선택을 하게 되었다. 필자 인생에서 만나 본 경제학 분야의 대가들 중에는 정말 특정 분야의 최정상 혹은 그에 근접하는 업적을 가졌음에도 불구하고 대학(원)생들에게 기초 개념들을 정말 알기 쉽게 풀어서 가르쳐 주는 이들이 종종 있었는데, 매우 고마운 경험이라 *늙어서 틀딱이 된* 지금도 그들의 친절함이 잊히지 않는다. 이 책을 읽는 독자들(= 금융 초보자들)도 그러한 느낌을 *아주* 조금은 받을 수 있길 바라면서, 말 많은 필자 이만 'shut up'하려다.

이 책이 금융에 관심 있는 단 한 명의 젊은이에게라도 도움이 된다면, 책을 쓴 보람이 있는 거겠다. 모두들 파이팅이다. ^^

2024년 1월 14일
Dr. HikiEconomist

P.S. 금융 왕초보자라면 마지막 부록 편인 27편을 먼저 공부하는 걸 조심스레 추천해 본다.

채권(Bond)

제1편 만기수익률(YTM)이 뭐꼬?

채권(Bond)이란, 주기적으로 쿠폰(Coupon)을 지급하다 만기에는 쿠폰과 함께 원금을 상환하는 단순한 형태의 금융상품이라 할 수 있다. *물론 세상의 모든 채권이 다 쿠폰을 지급하거나 원금을 만기에 일시 상환하는 것은 아니다...* 국가가 발행하면 국채, 기업이 발행하면 회사채라는 이름으로 불리곤 한다. 그런데 이 채권이란 것에 있어 모두가 알아야 할 정말 기초 중의 기초인 개념이 있다. 바로 만기수익률(Yield to Maturity; YTM)이란 놈(?)이다.

금융(Finance) 입문 과정의 맨 처음에 나오는 내용 중의 하나이고, 금융권에서 일하거나 혹은 관심이 있는 사람이라면 무조건 알아놓아야 할 상식 중의 하나이기도 하다. 그런데 말이다... 학교 시험 벼락치기의 부작용 때문인지 아니면 전반적으로 현대인들의 기억력에 문제가 생겨서인지는 모르겠지만, 은행원이나 증권사 직원 같은 관련 분야에 종사하고 있는 사람들도 이 개념에 대해 충분한 이해를 가지지 못한 경우가 많다. 안타까운 일이 아닐 수 없다. 그래서 1편에서는 이 기초 중의 기초 'YTM'이란 놈에 대해서 좀 자세히 *끄적거려* 볼까 한다.

YTM을 이해하려면 먼저 채권의 가격결정 공식(Bond Pricing Formula)부터 시작해야 한다. 간단히 설명하자면 채권의 가격은 미래에 발생하는 모든 현금 흐름(Cash Flow)을 현재가치(Present Value)화한 값이다. 이를 수식으로 나타내면 다음과 같다:

$$\text{채권 가격} = \left(\frac{\text{쿠폰}}{(1+r)^1} + \frac{\text{쿠폰}}{(1+r)^2} + \dots + \frac{\text{쿠폰}}{(1+r)^N} \right) + \frac{\text{원금}}{(1+r)^N} \qquad (1)$$

$$= \left(\sum_{n=1}^{N} \frac{\text{쿠폰}}{(1+r)^n} \right) + \frac{\text{원금}}{(1+r)^N}$$

where

$N =$ 쿠폰의 총 지급 횟수
$r =$ 할인율

물론 위의 (1)에서 쿠폰은 이율(%)이 아니라 절대 금액을 나타낸다. 눈치가 빠른 독자들은 이미 알겠지만 위의 식을 만족시키는 할인율(r)이 바로 '만기수익률(YTM)'이란 놈(?) 되겠다. 그런데 이처럼 "위의 식을 만족시키는 '할인율'"이라고만 하면 아마 이게 대체 무슨 뜻인지 모르겠다는 이들이 더 많을 것이다. 그래서 일각에서는 조금 더 쉽게 풀어서 다음과 같이 설명하기도 한다:

> 만기수익률(Yield to Maturity; YTM)이란 투자자가 해당 채권에 투자하고 이를 만기까지 보유함으로써 얻을 수 있는 내부수익률(Internal Rate of Return; IRR)을 의미한다.

즉, YTM이 5%라는 얘기는 투자자가 해당 채권을 매입함으로 해서 기대할 수 있는 수익률이 연 5% 상당이란 뜻이라고 간단히 생각하면 되겠다. 또 굳이 '만기수익률'이라고 표현 안 해도 일반적으로 채권의 '수익률' 혹은 'Yield'라고 하면 자연스럽게 YTM을 뜻하는 것으로 간주하곤 한다. 근데 이게 채권의 이표율(Coupon Rate)과 뭐가 다르냐고? 사실 채권 가격이 'Par'(파; 간단히 말하자면 위의 식에서 채권의 가격이 채권의 원금과 같을 경우를 의미한다)인 경우에는 채권의 이표율이 바로 만기수익률이 된다. 다만 채권 가격은 Par에 고정되지 않고 시장에서 계속 오르고 내리기 때문에 이표율만으로는 실제 투자 수익률을 가늠하기가 어려워 투자자들이 '만기수익률'이라는 지표에 의지하곤 한다.

예를 한번 들어보자. 원금 $100, 이표율 5%, 만기 3년, 매년 쿠폰을 지급하는 채권의 현재 가격이 Par(= $100)일 경우, 해당 채권의 만기수익률은 계산할 필요도 없이 5%다. (이표율과 똑같다. 못 믿겠으면 아래 등식이 성립되는지 한번 직접 계산해 보면 안다)

$$\left(\frac{\$5}{(1+5\%)^1} + \frac{\$5}{(1+5\%)^2} + \frac{\$5}{(1+5\%)^3} \right) + \frac{\$100}{(1+5\%)^3} = \$100$$

그런데 이 채권의 가격이 $94로 내려갔다고 가정해 보자. YTM은 얼마가 될까? 사실 실제 엑셀을 열어놓고 계산을 하지 않더라도 눈대중으로 '대충대충' 계산해 볼 수 있는 방법은 있다. 정말 '단순무식한' 방법인데, 뭐냐면 다음과 같이 생각해 보는 거다:

생각 ①: 가격이 $100일 때 투자자는 3년간 연 5%의 투자 수익을 얻는다.
생각 ②: 그런데 가격이 $94로 내려가면 (싸지면) $100일 때 대비해서 약 6%의 추가 수익을 얻을 수 있다.

생각 ③: 이 6%는 다만 연이율이 아니므로 3년으로 나누면 연 2% 정도의 추가
수익으로 볼 수 있겠다.

생각 ④: 따라서 YTM은 Par일 때의 5%보다 약 2% 높은 7% 정도가 나와야 한다.

실제로 계산해 보면 얼마가 나오냐고? 7.3% 정도 나온다. 0.3%p 상당의 오차는 있지만 얼추 비슷하지 않은가? *물론 이에 대한 정확한 이해를 위해서는 뒤 챕터들에 나오는 '듀레이션'과 '볼록성' 같은 개념들을 공부해야 할 테지만, 아직 거기까지 생각하지는 말자.*

초보자들은 위의 채권 가격결정 공식에 원금 $100, 이표율 5%, 그리고 YTM 7.3%를 대입한 후 채권 가격이 $94 상당으로 산출되는지 직접 확인해 보자:

$$\left(\frac{\$5}{(1+7.3\%)^1} + \frac{\$5}{(1+7.3\%)^2} + \frac{\$5}{(1+7.3\%)^3} \right) + \frac{\$100}{(1+7.3\%)^3} \approx \$94$$

이번엔 반대로 채권이 인기가 많아져 가격이 Par보다 높게(= Above Par) 거래될 경우엔? 사실상 위의 논리와 똑같다. 방향만 반대다. 예를 들어 가격이 $109가 되었다 가정해 보자. 이번에도 다음과 같은 '단순무식한' 생각을 해볼 수 있겠다:

생각 ①: 가격이 $100일 때 투자자는 3년간 연 5%의 투자 수익을 얻는다.

생각 ②: 그런데 가격이 $109로 올라가면 (비싸지면) $100일 때 대비해서 약 9%의
수익을 잃게 된다.

생각 ③: 이 9%는 다만 연이율이 아니므로 3년으로 나누면 연 3% 정도의 손실로 볼
수 있겠다.

생각 ④: 따라서 YTM은 Par일 때의 5%보다 약 3% 낮은 2% 정도가 나와야 한다.

실제로 계산해 보면 얼마일까? 1.89% 정도 나온다. 오차는 있지만, again, 뭐 대충 비슷하다고 해줄 수 있겠다:

$$\left(\frac{\$5}{(1+1.89\%)^1} + \frac{\$5}{(1+1.89\%)^2} + \frac{\$5}{(1+1.89\%)^3}\right) + \frac{\$100}{(1+1.89\%)^3} \approx \$109$$

이렇게 단순무식하게 계산해도 많은 경우 얼추 비슷하지만 만기가 길거나 가격이 Par에서 특히 많이 할인(Deep Discount)돼서 거래되는 경우 등에는 오차가 좀 심각하게 커질 수도 있으니 주의하자. 참고로 이런 '야매'는 학교에서도, 학원에서도, 어디에서도 배울 데가 없다. 때로는 이 단순무식한 'Thought Process'(라 쓰고 '야매'라 읽는다)가 '만기수익률(YTM)'의 속성에 대한 이해를 돕는 데 매우 효과적일 수도 있어 이렇게 한번 *끄적여*(?) 봤다.

마지막으로, 초보자들이 헷갈려 하는 지식 하나만 더 던져주고 1편을 끝맺으려 한다. 채권의 쿠폰이 매년 지급이 아니라 반기마다(Semiannually) 지급될 경우, YTM(연이율)을 어떻게 구하냐에 관한 거다. 이거 그리 어렵지 않은데, 헷갈리는 사람들 많더라고... 그래서 보너스로 아래에 정답을 알려준다. 아래의 수식을 보면 분기별(Quarterly) 지급의 경우도 쉽게 유추가 가능할 것이다.

원금 $100, 이표율 5%, 만기 3년, 반기마다 쿠폰을 지급하는 채권의 현재 가격이 Par(= $100)일 경우:

$$\frac{\frac{\$5}{2}}{\left(1+\frac{r}{2}\right)^1} + \frac{\frac{\$5}{2}}{\left(1+\frac{r}{2}\right)^2} + \frac{\frac{\$5}{2}}{\left(1+\frac{r}{2}\right)^3} + \frac{\frac{\$5}{2}}{\left(1+\frac{r}{2}\right)^4} + \frac{\frac{\$5}{2}}{\left(1+\frac{r}{2}\right)^5} + \frac{\frac{\$5}{2}}{\left(1+\frac{r}{2}\right)^6}$$

$$+ \frac{\$100}{\left(1+\frac{r}{2}\right)^6} = \$100$$

※ 채권 가격 Par를 가정했으므로 위의 식을 만족시키는 YTM(= r) 값 또한 당연히 5%가 되겠다. 위에서 YTM은 당연히 '연이율'을 나타낸다. (참고: 수식 (1)에서는 'r'을 꼭 '연이율'로 정의하지는 않았었다)

근데 잠깐! 금융 '왕'초보들의 헷갈림 방지를 위한 필자의 Extra Comments:

<u>Comment 1</u>   가격이 오르면 투자자에게 이득이니까 수익률도 높아지는 것 아니냐는 생각을 하는 초보자들이 있겠지만, YTM은 아직 투자하기 '전' 시점에서 바라본 수익률로 간주해야 한다. 즉, 아직 채권을 매입하지 않았으니 가격이 싸져야 이득인 거고, 가격이 비싸지면 손해인 거다. (채권을 곧 매입한다는 전제하에 말이다.) 그리고 중간에 팔고 나온다는 가정을 하는 게 아니라, 매입한 후 만기까지 들고 간다는 전제하에 계산되는 수익률이 바로 YTM, 즉, 만기수익률이란 놈(?) 되시겠다.

<u>Comment 2</u>   Finance 분야에서 이율(%)은 대개의 경우 연이율(Annual Rate) 형태로 표시하는 것이 마켓 컨벤션이다. 따라서 채권의 이표율(Coupon Rate)이나 YTM 등은 일반적으로 아무 말 없으면 그냥 연이율이라 생각하고 넘어가도 된다. 가끔씩은 친절하게 이율 뒤에 p.a.(= per annum)라고 표시해서 연이율이라는 걸 더 강조해 주는 경우도 있긴 하지만, 그렇지 않은 경우가 훨씬 더 많다. 하지만!!! 당연히 항상 그런 건 절대 아니다. 헷갈리는 경우들이 있을 수 있으니 주의하자. 헷갈릴 때는 꼭 물어봐야 한다.

그리고 시험 문제 같은 데서는 일부러 학생들을 틀리게 하려고 연이율로 안 쓰는 경우들이 있으니 이 또한 주의하자. 참으로 복잡하고 헷갈리는 세상이 아닐 수 없다.

Comment 3   위에서 내부수익률(IRR)에 관한 부가적인 설명은 생략하였다. IRR 공식과 YTM을 구하는 데 쓰는 채권 가격결정 공식(Bond Pricing Formula)이 서로 일맥상통하기 때문이다.

Comment 4   마지막의 반기 쿠폰의 예에서는 반기복리(Semiannual Compounding)의 가정이 녹아있다. 물론 언제나·무조건·죽어도(?) 쿠폰 지급 주기와 복리 주기가 같아야 하는 건 아니며, 서로 불일치돼서 계산되는 경우들이 있음을 알아두자. 참고로 서로 다른 복리 주기 가정하에서 산출된 채권들의 만기수익률은 그 자체로 서로 단순하게 비교될 수 없음에도 유의하자.

채권(Bond)

제2편 맥컬리 듀레이션에 관한 잡담

채권에 있어 만기수익률(YTM)과 듀레이션(Duration)은 매우 기초적인 개념들이라 할 수 있다. 하지만 그렇다고 이 개념들이 이해하기가 엄청 쉽다는 얘기는 절대 아니다. 머리가 좋고 나쁨을 떠나서 금융(Finance) 분야에 대해 아무것도 모르는 초보자에게는 뭐하나 안 어려운 게 없을 것이다. 필자도 옛날 옛적 공부하던 학생 시절엔 당연히 그랬다. 모든 개념이 아무리 기초적인 것이라도 완벽히 이해하기 위해선 이리저리 생각을 여러 번 (사실상 수없이 (-_-;)) 해야만 했다. 그런데 지금 생각해 보면 필자 머리가 나쁜 탓도 있었겠지만 대부분의 경우 공식 하나만 떡하니 던져주고 이게 어떻게 나오게 된 건지에 대한 자세한 설명 없이 바로 다음으로 넘어가서 그랬던 것 같다. 참 각박한 세상이 아닐 수 없다... *반면 필자 책은 훨씬 더 친절한 설명을 담고 있다. 자화자찬인 겨? ㅎㅎㅎ*

각설하고, 채권에 있어 아주 중요한 개념인 '듀레이션(Duration)'이란 게 도대체 뭔지 이제 알아보도록 하자. 듀레이션이란 간단히 말하면 채권의 만기(Maturity)와 비슷한 개념이다. (정확히는 '잔존만기'와 비슷한 개념이다) 1년 만기 채권의 듀레이션은 대충 1에 가깝다고 보면 되고, 3년 만기 채권의 듀레이션은 3, 5년 만기 채권의 듀레이션은 5에 가깝다고 보면 된다. 여기까진 쉽다. 듀레이션에는 여러 종류가 있는데, 그중에서 누구나 첫 번째로 배우게 되는 듀레이션은 '맥컬리 듀레이션(Macaulay Duration)'일 것이다. *아주 오래전 이거 공부할 때 영화 '나 홀로 집에'의 '케빈'이 생각나곤 했다. 사실 지금 쓰면서도 케빈 얼굴이 생각난다... 나이가 들어도 습관은 어쩔 수 없나 보다...*

'맥컬리'는 아역배우가 아니라 캐나다 경제학자 이름에서 따온 거라고 하는데, 암튼 이 맥컬리 듀레이션을 소개할 때 금융 관련 기초 입문 교재들은 아래와 비스무리한 수식을 써서 알려줄 거다:

$$
\text{맥컬리 듀레이션} = \frac{\left(\sum_{n=1}^{N} \dfrac{n \times \text{쿠폰}}{(1+r)^n}\right) + \dfrac{N \times \text{원금}}{(1+r)^N}}{\text{채권 가격}} \tag{1}
$$

where

N = 쿠폰의 총 지급 횟수
r = 할인율

미약했던 필자도 처음엔 이것만 보고는 뭔 소리하는 건지 당최 몰랐었다. 일반적으로 여기에 부가되는 설명은 맥컬리 듀레이션은 '현금 흐름의 가중평균만기(Weighted Average Maturity of Cash Flows)를 뜻한다'라는 것이다. 수식은 수식이니 그렇다 치고 이 설명을 읽는 순간 이게 무슨 강아지 소리냐면서 필자는 그냥 책을 던져버리고 싶었더랬다...

반성하고, 일단 이걸 제대로 이해하려면 식에 숫자를 예시적으로 몇 개 넣어보고 듀레이션 값이 어떻게 변하는지를 살펴보면 된다. 위의 어려운 설명 다 필요 없다. 그냥 아래 예시만 몇 개 보면 자동적으로 이해가 갈 거다:

예1) 3년 만기, 쿠폰 5% 매년 지급, 원금 $100, 채권 가격 $100(= YTM 5%)일 경우 이 채권의 맥컬리 듀레이션은? (1편에서 YTM 산출 어떻게 하는지 가르쳐줬으므로 이 부분은 또 설명 안 하겠다)

답은 2.86년이다. 위의 수식 (1)에 아래와 같이 숫자들을 처넣으면 금방 계산 가능하다:

$$\frac{\dfrac{1 \times \$5}{(1+5\%)^1} + \dfrac{2 \times \$5}{(1+5\%)^2} + \dfrac{3 \times \$5}{(1+5\%)^3} + \dfrac{3 \times \$100}{(1+5\%)^3}}{\$100} \approx 2.86$$

서두에 언급했듯이 채권의 실제 잔존만기인 3년과 얼추 비슷하게 나온다. 여기서 계산식의 분자 부분을 잠시만 살펴보면 맥컬리 듀레이션의 주요 속성 하나를 바로 깨달을 수 있다. 쿠폰 금액 $5 앞에 곱하는 숫자들이 바로 가중치인데, 더 미래 시점으로 갈수록 가중치가 점점 더 커지는 것을 알 수 있다. 즉, 첫 번째 해의 현금 흐름에는 1, 다음 해의 현금 흐름에는 2, 그리고 마지막 해의 현금 흐름(원금도 포함)에는 3의 가중치를 주고, 그 값들을 다시 현재가치(Present Value)화 한 값이 바로 분자 부분이다. 따라서 현금 흐름이 더 나중에, 늦게 발생할수록 맥컬리 듀레이션은 길어진다. 반대로 앞단에 쿠폰을 좀 더 많이 주면 맥컬리 듀레이션은 당연히 짧아질 거다. 진짜 그런지 어디 한번 계산해보자!

예2) 3년 만기, 쿠폰 10% 매년 지급, 원금 $100, 채권 가격 $100(= YTM 10%)일 경우 이 채권의 맥컬리 듀레이션은?

답: 약 2.74년. (예1보다 짧아졌다!)

$$\frac{\dfrac{1 \times \$10}{(1+10\%)^1} + \dfrac{2 \times \$10}{(1+10\%)^2} + \dfrac{3 \times \$10}{(1+10\%)^3} + \dfrac{3 \times \$100}{(1+10\%)^3}}{\$100} \approx 2.74$$

예3) 3년 만기, 쿠폰 3% 매년 지급, 원금 \$100, 채권 가격 \$100(= YTM 3%)일 경우 이 채권의 맥컬리 듀레이션은?

답: 약 2.91년. (예1,2보다 길어졌다!!)

$$\frac{\dfrac{1 \times \$3}{(1+3\%)^1} + \dfrac{2 \times \$3}{(1+3\%)^2} + \dfrac{3 \times \$3}{(1+3\%)^3} + \dfrac{3 \times \$100}{(1+3\%)^3}}{\$100} \approx 2.91$$

마지막으로 '극단의(extreme)' 가정을 해보자:

예4) 3년 만기, 쿠폰 0% 매년 지급, 원금 \$100, 채권 가격 \$100(= YTM 0%)일 경우 이 채권의 맥컬리 듀레이션은?

답: 정확히 3년. (지금까지 중 제일 길다!!!)

$$\frac{\dfrac{1 \times \$0}{(1+0\%)^1} + \dfrac{2 \times \$0}{(1+0\%)^2} + \dfrac{3 \times \$0}{(1+0\%)^3} + \dfrac{3 \times \$100}{(1+0\%)^3}}{\$100} = 3.00$$

어떤가, 대충 이해 가는가? *당연히 '예4'에서와 같은 채권은 좀 억지스러운 가정이다. 일반적으로 무이표채(Zero Coupon Bond)는 Par 가격이 아니라 할인(discount)된 가격에 발행되어 사실상의 쿠폰을 만기에 제공하니깐 말이다... 하지만 제로/마이너스 금리 시대에서는 충분히 가능한 일이겠다.* 암튼 여기서 유추할 수 있는 점은 채권의 현금 흐름이 만기에 한꺼번에 발생하면 맥컬리 듀레이션이 채권의 실제 만기와 같아진다는 점이다. 그 외의 경우에는 듀레이션이 실제 만기보다 짧은 것이 정석이다.

그래서 이게 뭘 의미하냐고? 그냥 현금 흐름이 앞단 대비 뒷단에 얼마나 발생하는지 나타내는 정도? 뭐 더 의미가 있을까? 이 시점에서 알려주고 싶은 슬픈 사실 하나는 맥컬리 듀레이션(*'맥컬레이 듀레이션'이라고도 많이 쓰는 듯하다*)은 학교에서나 배우지 실제 금융 쪽에서는 참고용으로밖에는 잘 쓰지 않는다는 점이다. 실전에서 주로 사용하는 듀레이션은 '수정 듀레이션(Modified Duration)'이라는 놈(?)이다. 그런데도 왜 학교에서 맥컬리 듀레이션을 가르치냐고? 사실 안 가르쳐도 된다. 안 배운다고 해도 별 지장 없는 개념이다. 바로 수정 듀레이션으로 넘어가도 된다. 아마도 필자의 짧은 생각으로는 수정 듀레이션을 가르치려면 '편미분(partial differentiation)'이라는 걸 한번 해줘야 해서가 아닐까 싶다. 그래서 미분이 필요 없는 맥컬리가 앞에 나오는 게 아닐까... *Just my two cents...*

정말 중요한 개념인 '수정 듀레이션'은 3편에서...

채권(Bond)

제3편 중요한 건 수정 듀레이션이다

"The (weighted) average time it takes to receive all the cash flows of a bond, weighted by the present value of each of the cash flows."

위의 따옴표 안의 문장은 필자가 그나마 봐줄만하다고 생각하는 맥컬리 듀레이션의 영어로 된 정의이다. 이걸 한글로 직역하면 도대체 뭔 말인지 모를 정도의 난해한 문장이 돼버리는 관계로 번역은 안 해주련다... ㅎㅎㅎ 암튼 채권 현금 흐름의 '가중평균만기(Weighted Average Maturity)'를 나타내는 맥컬리 듀레이션(= 맥컬레이 듀레이션)은 사실 일반 사람들은 그 뜻을 정확히 이해하기도 어렵고 또 실무적으로도 그 쓰임새가 매우 제한적이라 학교나 자격증 시험 목적이 아니라면 굳이 몰라도 된다고 필자는 생각한다. 그러나 맥컬리 듀레이션은 마치 계속 출몰하는 유령처럼 실제로 많이 쓰이는 '수정 듀레이션(Modified Duration)' 개념을 설명할 때 또 그 모습을 드러내기도 한다. *정말 유령이다, 유령...* 아마도 시중의 많은 교재들이 수정 듀레이션을 소개할 때 다음과 같은, 혹은 이와 비스무리한 수식을 보여주지 않나 싶다:

$$수정 듀레이션 = \frac{맥컬리\ 듀레이션}{(1+r)} \qquad (1)$$

(1)에서 r은 당연히 채권의 YTM이 되겠다. 위의 식이 나타내는 바는 수정 듀레이션이 맥컬리 듀레이션을 채권 수익률로 '한 번 더 할인'한 값이라는 것인데, 당최 보통 사람에게는 아무 감이 안 오는 얘기일 거다. 처음부터 위의 식을 이해하려 할 필요는 없다. 지금은 정말 단순하게 다음의 정의만 머릿속에 새겨보자.

"채권의 수정 듀레이션(Modified Duration)은 채권 수익률(Yield)에 대한 채권 가격(Price)의 민감도(sensitivity)를 나타낸다. 즉, 채권 수익률이 1%p 변화했을 때 채권 가격이 약 몇 % 변화하는지를 나타내는 중요한 위험 지표다."
- Dr. HikiEconomist -

맥컬리 듀레이션보다 이해하기 훨~~~~~씬 쉽다. 수정 듀레이션이 3이란 얘기는 채권 수익률이 1%p 움직일 때 채권 가격이 약 3% 정도 움직인다는 뜻이다. 물론 채권 수익률과 채권 가격은 역의 방향으로 움직이므로 수익률이 1%p 상승하면 채권 가격은 3%가량 하락할 거다. 같은 논리로 수정 듀레이션이 5일 때는 만약 수익률이 1%p 상승하면 채권 가격은 약 5%(= 1%×5) 하락, 만약 수익률이 0.1%p 상승하면 채권 가격은 약 0.5%(= 0.1%×5) 하락, 반대로 수익률이 0.3%p 하락하면 채권 가격은 1.5%(= 0.3%×5)가량 상승하는 식이다. 그냥 수익률 변화 값에 수정 듀레이션만큼 곱해버리면 채권 가격의 대략적인 변동률이 나온다.

어떤가, 매우 유용한 지표이지 않은가? 채권의 수익률은 시장의 전반적인 금리 레벨에 민감하게 영향을 받기 때문에 이 수정 듀레이션이 크면 클수록 투자자가 짊어지는 금리 리스크도 그만큼 커진다고 할 수 있다. 예를 들어 경제 호황기(= 금리 인상기)에 시장 금리가 1%p씩 들썩이면 1의 수정 듀레이션을 지닌 채권의 투자자는 대략 1%의 포트폴리오 가치 하락만을 겪겠지만*(물론 채권 수익률이 시장 금리와 똑같이 변동한다는 단순 가정하에서다)*, 10의 수정 듀레이션을 지닌 채권의 투자자는 무려 10% 정도의 가치 하락을 겪게 될 테니 말이다. 30년 만기채 같은 장기채를 보유한 투자자는 당연히 엄청난 금리 리스크를 지게 된다.

이렇게 유용한 지표이기 때문에 수정 듀레이션은 채권에 있어 YTM만큼이나 중요한 핵심 개념 중 하나다. 그리고 좋은 점은 맥컬리 듀레이션과 그 값도 (YTM이 너무 크지 않은 이상) 별반 큰 차이가 없다는 것이다. 수식 (1)에서 보여주듯 맥컬리 듀레이션을 한 번 더 할인하는 정도에서 계산이 끝난다. 보통 3년 만기채의 수정 듀레이션은 3에 가깝다고 생각하면 되고, 5년 만기채는 5에 가깝다고 보면 된다. 단기물들은 일반적으로 잔존만기보다 조금 더 작은(짧은?) 값으로 산출된다고 보면 되겠다.

※ 물론 쿠폰이 크거나 만기가 많이 긴 채권들은 수정 듀레이션과 잔존만기의 차이가 상당할 수 있다. 예를 들어 2%의 쿠폰을 지닌 10년 만기 채권의 수정 듀레이션은 9.0 정도이지만, 6% 쿠폰의 10년 만기채의 경우엔 7.4 정도밖에 되지 않는다. 또한 3%의 낮은 쿠폰을 지녔다 하더라도 30년 만기 초장기채 같은 경우엔 수정 듀레이션이 19.7 정도로, 실제 만기인 30년과는 꽤 차이가 날 수 있음을 숙지하자. (앞의 예시적 계산들은 Par 가격과 반기 쿠폰을 가정하였다)

사실 여기까지만 알면 채권 듀레이션에 관해 중요한 건 다 안거다. 부록에서는 전보다 조금 더 일반화(generalize) 시킨 채권 가격 결정식을 사용해서 수정 듀레이션이 어떻게 정의되는지 수식으로 좀 더 자세히 보여주려 한다. 학부 금융 수업 때 미분을 해야만 하는 불쌍한 학생들은 제외하고 대부분의 사람들은 Skip하고 다음 4편으로 넘어가도 아무 문제없을 듯하다.

〈3편 부록〉

이제부턴 좀 지루한 부분이다. 금융 분야에서는 시간의 단위를 보통 '연(Year)' 단위 기준으로 표현하는 경우가 많으므로 아래에 나오는 수식들에서도 이와 부합되게 시간 개념이 연 단위 기준으로, 수익률(r)도 연율 기준으로 정의됐다고 미리 알려준다. 그럼 일단 채권 가격 결정식부터 시작해보자. 쿠폰, 원금 구분 없이 조금 더 일반화시켜서 표현하면 각 시점에 지급되는 현금 흐름(Cash Flow)들의 현재가치들의 합이 바로 채권 가격이 되겠다:

$$P = \sum_{i=1}^{n} \frac{CashFlow_i}{\left(1 + \dfrac{r}{k}\right)^{kt_i}} \tag{2}$$

where

$P = $ 채권 가격
$CashFlow_i = i$번째 현금 흐름
$k = $ 쿠폰의 지급 빈도 (연간 : 1, 반기 : 2, 분기 : 4)
$r = $ 채권의 만기수익률(YTM; 연율)
$n = $ 쿠폰 지급 총 횟수
$t_i = i$ 시점을 연 단위 기준으로 표현한 시간

참고로 위의 식에서 마지막에 정의된 t_i는 반기별 쿠폰의 경우엔 $t_1=1/2$, $t_2=2/2$, $t_3=3/2$, $t_4=4/2$,,, 등의 값을 가지게 되겠고, 분기별 쿠폰의 경우엔 $t_1=1/4$, $t_2=2/4$, $t_3=3/4$, $t_4=4/4$,,, 등의 값을 가지게 된다. (1편의 마지막에 보여준 반기별 쿠폰일 경우의 YTM 계산식을 떠올려보면 쉽게 이해할 수 있다)

채권 가격 P가 r을 포함하는 변수들의 함수(function)라는 가정하에 수정 듀레이션

은 다음과 같이 정의된다:

$$수정듀레이션 = -\frac{1}{P} \times \frac{\partial P}{\partial r} \qquad (3)$$

여기서 앞에 붙은 마이너스는 채권 수익률과 가격이 역의 방향으로 움직이므로 등장한 것일 뿐 별 의미는 없다. 이제 수식 (2)의 P를 r에 대해서 편미분해보자:

$$\frac{\partial P}{\partial r} = -\frac{1}{\left(1+\dfrac{r}{k}\right)} \times \sum_{i=1}^{n} \frac{t_i \times CashFlow_i}{\left(1+\dfrac{r}{k}\right)^{k\,t_i}} \qquad (4)$$

다행히 별로 어렵지 않다. 위의 식에 -(1/P)를 곱하면 그게 바로 수정 듀레이션 공식이다. 여기서 끝내도 되는데 많은 교재들이 수식 (1)에서 맛배기로 보여준 거와 같이 맥컬리 듀레이션과 수정 듀레이션의 밀접한 관계를 나타내기 위해 여기서 멈추지 않는다. 쩝. 그 관계를 보기 위해서 조금만 더 디벼보자. 맥컬리 듀레이션은 수식 (2)의 표기법(notation)을 따른다면 다음과 같이 나타낼 수 있다:

$$맥컬리듀레이션 = \frac{1}{P} \times \sum_{i=1}^{n} \frac{t_i \times CashFlow_i}{\left(1+\dfrac{r}{k}\right)^{k\,t_i}} \qquad (5)$$

쿠폰 지급 빈도(= 복리 빈도)를 나타내는 k 때문에 조금 헷갈리겠지만 자세히 보면

2편에서 다뤘던 그 맥컬리 듀레이션의 '공식 버전' 맞다. 이제 수정 듀레이션을 아래와 같이 맥컬리 듀레이션을 이용해 표현해 볼 수 있겠다:

$$수정\,듀레이션 = -\frac{1}{P} \times \frac{\partial P}{\partial r} \tag{6}$$

$$= \frac{1}{P} \times \frac{1}{\left(1+\frac{r}{k}\right)} \times \sum_{i=1}^{n} \frac{t_i \times CashFlow_i}{\left(1+\frac{r}{k}\right)^{k t_i}}$$

$$= \frac{맥컬리\,듀레이션}{\left(1+\frac{r}{k}\right)}$$

휴우... 드디어 끝났다. 문과생이 여기까지 따라와 줬다면 칭찬해주고 싶다. 결국 서두에서 거론했듯이 맥컬리 듀레이션은 끝까지 유령처럼 계속 치고 나온다... 이제 무서울 지경이다. 근데 진짜 '찐' 듀레이션은 실전에서는 '수정 듀레이션'이란 것만 알자. '맥컬리 듀레이션'은 미분을 피해가려 등장시키는 틀딱옛날 개념일 뿐이다...
이러다 필자 꿈에 열 받은 맥컬리 유령이 등장할지 모르겠다... 아녀, 아녀... 맥컬리 듀레이션도 나름 중요한 의미가... 살려, 살려줘~~~ 쿨럭.

채권(Bond)

제4편 엑셀의 편리한 함수들

지금까지 필자가 소개했던 채권의 만기수익률(Yield to Maturity; YTM), 맥컬리 듀레이션(Macaulay Duration), 그리고 수정 듀레이션(Modified Duration)은 모두 엑셀(Excel)에서 간단하게 산출이 가능하게끔 되어있다. Yield 함수, Duration 함수, 그리고 Mduration 함수들의 편리한 사용법을 초보자들을 위해 아래에 정리해 본다. 참 좋은 세상이다.

① Yield 함수

엑셀의 Yield 함수를 사용하면 채권의 만기수익률(YTM)이 바로 계산되어 나오며, 계산에 필요한 입력(input) 값들은 아래 괄호 안의 것들이다:

=Yield(결제일, 만기일, 이표율, 채권 가격, 만기 상환액(원금), 쿠폰 빈도, Day Count)

괄호 안 마지막의 'Day Count'는 쿠폰 금액 계산 시 적용하는 날짜 계산법을 뜻하는데, 필수적인 입력 항목이 아니므로 넣지 않아도 아무 문제없다. *Day Count에 대한 자세한 설명은 생략하고 넘어가려 한다. 프로 채권쟁이(?)가 아닌 이상 몰라도 크게 상관없어서다.* 참고로 '쿠폰 빈도(frequency)'는 만약 연간 지급이면 1, 반기마다 지급이면 2, 분기마다 지급이면 4의 값을 갖는다.

1편에서 필자는 채권 가격이 원금과 같은 경우에 이를 Par라 칭하고, 이 경우 YTM도 이표율과 똑같아진다고 설명했었다. 1편에서 예로 들었던 3년 만기, 이표율 5%, 연간(annual) 쿠폰, 그리고 Par 가격인 채권의 YTM이 이표율과 정말 같은지 엑셀의 Yield 함수를 써서 한 번 더 확인해 보자:

f_x	=YIELD(D1,D2,D3,D4,D5,D6)
C	**D**
1 결제일	2022-07-01
2 만기일	2025-07-01
3 이표율	5.00%
4 채권 가격	$100
5 원금	$100
6 쿠폰 빈도	1
7 YTM	**5.00%**

예상했던 대로다. 당연히 이표율과 똑같은 5%로 계산된다. 그리고 1편에서 해당 채권의 가격을 $94, $109로 변화시켰을 경우 (필자가 가르쳐준 '야매' 방식으론 YTM이 각각 7%와 2%로 대충 계산될 테지만) 제대로 산출하면 YTM이 각각 7.30%, 1.89% 정도로 계산된다고도 알려줬었다. 어디 Yield 함수를 써서도 동일하게 나오는지 함 확인해 보자:

| f_x | =YIELD(D1,D2,D3,D4,D5,D6) |
C	D
1 결제일	2022-07-01
2 만기일	2025-07-01
3 이표율	5.00%
4 채권 가격	$94
5 원금	$100
6 쿠폰 빈도	1
7 YTM	7.30%

| f_x | =YIELD(D1,D2,D3,D4,D5,D6) |
C	D
1 결제일	2022-07-01
2 만기일	2025-07-01
3 이표율	5.00%
4 채권 가격	$109
5 원금	$100
6 쿠폰 빈도	1
7 YTM	1.89%

1편에서 보여줬던 계산 값들과 동일하게 나온다. 안심(?)이다... 다음은 맥컬리 듀레이션 산출하는 함수를 살펴보자.

※ *주의! 1: Input들 중 '만기 상환액'은 쿠폰을 포함하지 않는 금액이며, 위의 예에서처럼 채권의 '원금'과 같은 것이 일반적이다. 물론 일부 특이한 구조의 경우에는 만기 상환액이 원금과 다를 수도 있겠다.*

※ *주의! 2: 채권 가격과 만기 상환액은 모두 「액면 금액(Face Value)= $100」의 가정에 기초해 입력해야 한다. 즉, 실제 채권 가격이 $180, 만기 상환액이 $200이라면, 이에 해당하는 input 값들은 각각 $90, 그리고 $100이 된다. (이는 사용자에게 다소 불편한 부분이다...) 그리고 [채권 가격과 만기 상환액 input 값과는 상관없이] 해당 함수는 쿠폰 금액을 무조건 「액면 금액(= $100)」에 이표율을 곱해서 산출하는 것으로 사료된다.*

② Duration 함수

맥컬리 듀레이션은 엑셀의 Duration 함수가 간단히 계산해 준다. 계산에 필요한 입력 값들은 아래와 같다:

=Duration(결제일, 만기일, 이표율, YTM, 쿠폰 빈도, Day Count)

앞의 Yield 함수보다도 더 간단해졌다. 지난 2편에서 3년 만기, 이표율 5%, 연간 쿠폰, 그리고 Par 가격 채권의 경우(= YTM 5%)의 맥컬리 듀레이션을 약 2.86으로 계산했었다. 위의 Duration 함수를 써서 맞는지 다시 한 확인해 보자:

f_x	=DURATION(D1,D2,D3,D4,D5)
C	**D**
1 결제일	2022-07-01
2 만기일	2025-07-01
3 이표율	5.00%
4 YTM	5.00%
5 쿠폰 빈도	1
6 맥컬리 듀레이션	2.86

맞다. 2.86년 나온다. 2편의 나머지 예제들에서 이표율과 YTM을 10%로 올리면 듀레이션이 2.74년으로 짧아지고, 반대로 3%로 내리면 2.91년으로 길어진다고 계산했었다. 어디 진짜 그런지 Duration 함수를 통해서 또 확인해 보자:

f_x	=DURATION(D1,D2,D3,D4,D5)	
	C	D
1	결제일	2022-07-01
2	만기일	2025-07-01
3	이표율	10.00%
4	YTM	10.00%
5	쿠폰 빈도	1
6	**맥컬리 듀레이션**	**2.74**

f_x	=DURATION(D1,D2,D3,D4,D5)	
	C	D
1	결제일	2022-07-01
2	만기일	2025-07-01
3	이표율	3.00%
4	YTM	3.00%
5	쿠폰 빈도	1
6	**맥컬리 듀레이션**	**2.91**

둘 다 맞다. 이제 마지막으로 수정 듀레이션(Modified Duration)을 산출하는 함수를 살펴보자.

③ Mduration 함수

수정 듀레이션(Modified Duration)은 엑셀의 Mduration 함수가 간단히 계산해 준다. 계산에 필요한 입력 값들은 아래와 같다:

=Mduration(결제일, 만기일, 이표율, YTM, 쿠폰 빈도, Day Count)

괄호 안을 보면 Duration 함수와 필요 input들이 똑같음을 알 수 있다. 물론 Day Count는 없어도 상관없다. 그럼 앞에서 살펴본 3가지 경우들의 수정 듀레이션들을 각각 계산해 보자:

fx	=MDURATION(D1,D2,D3,D4,D5)
C	D
1 결제일	2022-07-01
2 만기일	2025-07-01
3 이표율	5.00%
4 YTM	5.00%
5 쿠폰 빈도	1
6 수정 듀레이션	2.72

fx	=MDURATION(D1,D2,D3,D4,D5)
C	D
1 결제일	2022-07-01
2 만기일	2025-07-01
3 이표율	10.00%
4 YTM	10.00%
5 쿠폰 빈도	1
6 수정 듀레이션	2.49

fx	=MDURATION(D1,D2,D3,D4,D5)
C	D
1 결제일	2022-07-01
2 만기일	2025-07-01
3 이표율	3.00%
4 YTM	3.00%
5 쿠폰 빈도	1
6 수정 듀레이션	2.83

순서대로 각각 2.72, 2.49, 2.83의 값들이 나온다. 이 값들은 맥컬리 듀레이션 값인 2.86, 2.74, 2.91보다 조금씩 작다. 이유는 이미 짐작했을 거다. 수정 듀레이션

은 맥컬리 듀레이션을 YTM으로 '한 번 더 할인'한 값이기 때문이다. *3편 부록의 수식 (6) 참조.* 그럼 시간이 남으니 맥컬리 듀레이션을 한 번씩 YTM으로 직접 할인하는 수고를 해 볼까나?

	f_x	=D6/(1+D4/D5)
	C	D
1	결제일	2022-07-01
2	만기일	2025-07-01
3	이표율	5.00%
4	YTM	5.00%
5	쿠폰 빈도	1
6	**맥컬리 듀레이션**	**2.86**
7	**YTM으로 할인한 값**	**2.72**

	f_x	=D6/(1+D4/D5)
	C	D
1	결제일	2022-07-01
2	만기일	2025-07-01
3	이표율	10.00%
4	YTM	10.00%
5	쿠폰 빈도	1
6	**맥컬리 듀레이션**	**2.74**
7	**YTM으로 할인한 값**	**2.49**

	f_x	=D6/(1+D4/D5)
	C	D
1	결제일	2022-07-01
2	만기일	2025-07-01
3	이표율	3.00%
4	YTM	3.00%
5	쿠폰 빈도	1
6	**맥컬리 듀레이션**	**2.91**
7	**YTM으로 할인한 값**	**2.83**

휴우... 빨래 끝! 확인 다 끝났다. 똑똑한 엑셀을 못 믿어서 확인한 게 아니다. 초
보자들을 위해 일부러 사서 고생 한번 해봤다. *친절한 필자여...* 결론은, 참 편리한
세상이다. *앞으로는 그냥 멍때리고 AI한테 물어보면 되려나? (-_-:)*

채권(Bond)

제5편 문과생이 채권의 볼록성을 알고 싶다고?

5편 시작 전에 잠시만 삼천포로 빠지자면, '볼록성'이란 번역, 참 볼품없다. 영어로 하면 '컨벡시티(Convexity)'... 뭔가 도시적이고 멋진 필인데 갑자기 '볼록성'이라니... 그냥 '컨벡시티'라고 번역하지 않고 부르고 싶을 정도다... *ㅎㅎㅎ 필자만 그런가... ㅎㅎㅎ 참고로 '볼록 렌즈', '오목 렌즈'할 때 쓰는 그 단어 맞다. 볼록 렌즈는 Convex Lens, 오목 렌즈는 Concave Lens라고 하니깐...*

사실 채권의 듀레이션까지는 그렇다 쳐도 볼록성은 특히 '문과적 마인드'를 가진 사람들에게는 매우 어려운 개념이다. 필자의 사전에서 이는 간단한(?) 그래프를 봐도 한눈에 잘 안 들어오고 단순한(?) 수식을 봐도 한참 생각해야 이해가 가는 이들을 의미한다.*(필자도 사실 이과적 마인드는 아님을 고백... 쿨럭.)* 볼록성의 개념이 편미분(partial differentiation)을 2번 해야 나오는 개념이라 이를 직관적으로 이해하기란 많은 이들에게 매우 힘든 일일 것이다. *이과적인 마인드를 타고난 행운아들에게야 쉽겠지만 말여...* 그래서 시중에 존재하는 교재들에서 설명하는 방식과는 다르게 좀 더 '문과적인 마인드'들을 위한 설명 방식으로 5편을 채워 나가겠다. 물론 맨 뒤의 부록에 나올 수식들은 제외하고다. 수식은 어차피 필요한 이들만 보면 된다.

이 책의 4편까지 이미 정독했다면 채권 수익률(YTM)과 채권 가격이 반대 방향으로 움직인다는 사실 하나 쯤은 이제 머릿속에 각인 됐을 것이다. *믿어도 되제???* YTM이 상승하면 채권 가격은 하락하고, YTM이 하락하면 채권 가격은 상승한다. 수정 듀레이션(Modified Duration)이 만약 3이라 하면, YTM이 1%p 상승할 때 가격은 약 3% 하락하는 식이다. 그럼 이 관계를 y축은 가격, x축은 YTM의 그래프로 나타내면 다음과 같을까?

〈Figure 1〉

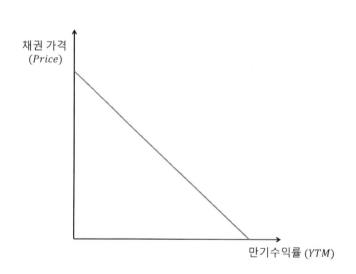

사실 위의 그림이라면 좋겠다. 넘 간단하니깐... 중학교 때 배운 「y= ax+b」에서 a가 음수 값을 갖는 직선의 1차 함수 그래프 되시겠다. 여기서 기울기 a는 바로 x 값이 변할 때 y 값이 얼마큼 변하는지를 나타낸다.*(뭔가 살짝 '수정 듀레이션'의 느낌과 비슷하다고나 할까?)* 이를 아래와 같이 표현한다. 중학교 때 배운 기억이 가물가물 날 거다:

$$기울기 = \frac{\triangle y}{\triangle x}$$

만약 YTM과 채권 가격의 관계를 Figure 1처럼 직선 형태로 나타낼 수 있다면 이 기울기는 어느 점에 있든 a라는 상수(constant) 하나로 표현이 가능하다.*(어느 점에 있든 똑같다는 뜻이다.)* 그런데 참 야속하게도 YTM과 채권 가격의 관계는 위와 같이 직선으로 표현이 안 된다. 왜냐고? 채권 가격 결정식을 보면 YTM이 분모에 가 있고, 막 제곱, 세제곱, 네제곱을 하는 등등 매우 복잡하지 않은가... 따라서 그래프로 그려봐도 「y= ax+b」의 단순한 직선보다는 자연스레 더 복잡한 모양이 나올 수밖에 없다고 그냥 생각하면 된다. *ㅎㅎㅎ 식이 복잡하니 그래프 생긴 것도 복잡해야 당연한 거 아닌겨?* 그럼 도대체 어떻게 생겼냐고? 대충 아래처럼 생겼다:

〈Figure 2〉

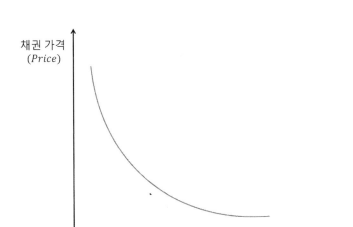

그렇다. 볼록하다. 그래서 볼록성(Convexity)이라고 한다. 이게 직선이 아니므로 기울기 또한 곡선의 어느 점에 있느냐에 따라서 다 다르다. 곡선의 왼쪽은 매우 가파르게 생겼고, 오른쪽으로 갈수록 평평해진다. 즉, YTM이 왼쪽으로 갈수록 가격이 더 민감하게 반응하고 반대로 YTM이 오른쪽으로 가면 갈수록 가격의 민감도가 떨어지게 된다. 이제 아래의 예제들을 한번 같이 보면서 볼록성에 대해 조금만 더 생각해 보자:

〈Figure 3〉

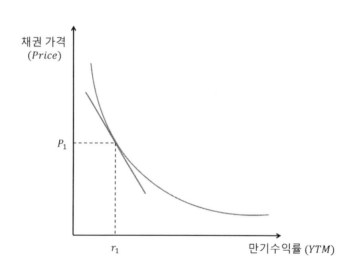

위의 그림에서처럼 곡선의 한 지점인 (r_1, P_1)에서의 기울기는 곡선에 접하는 직선 (= tangent line; 접선)으로 표현될 수 있겠다. 3편에서 자세히 소개했던 수정 듀레이션이란 놈(?)도 바로 이와 같은 곡선의 기울기 값에 기반한 채권 가격의 민감도를 나타내는 지표다. 그런데 이 기울기란 것이 Figure 1처럼 선형적 관계에서는 어느 지점에서나 똑같으니 정확한 민감도를 나타낼 수 있는데, Figure 2, 3과 같은 곡선의 경우엔 그 정확도가 다소 떨어진다 할 수 있겠다. 예를 함 들어 보자:

〈Figure 4〉

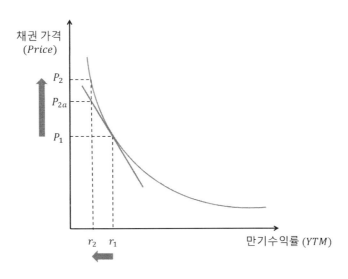

자, YTM이 r_1에서 r_2로 하락한다. 그럼 채권 가격은 P_1에서 어디로 움직일까? P_2로 간다! 그런데 그냥 기울기 값을 가지고만 계산하면 P_{2a}까지밖에 못 간다고 나올 거다. 기울기가 가격의 움직임을 좀 과소평가(underestimate)하고 있다. 이게 직선이 아니니 한 점에서의 기울기 값만 가지고는 정말 정확한 계산이 불가능하다. 다만 대충 근사치는 구할 수 있겠다.

그런데 r의 움직임이 커지면 커질수록 그 오차 또한 점점 커질 거다. 필자가 지난 3편에서 수정 듀레이션을 설명할 때마다 계속 가격 움직임에 '약', '대략', '정도', '가량'이란 말들을 앞이나 뒤에 붙여왔음을 다시 읽어 보면 확인할 수 있을 거다. 왜냐면 수정 듀레이션은 이런 기울기 값을 이용한 가격 움직임의 '근사치(approximation)'일 뿐이기 때문이다. *불론 정말 엄밀히는 수정 듀레이션은 가격 움직임의 절댓값이 아니라 이를 다시 P로 나눠 퍼센트화한 지표라 할 수 있다.*

그럼 내친김에 반대로 움직일 경우도 한번 살펴볼까나?

〈Figure 5〉

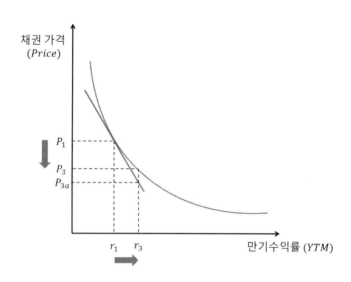

만약 위의 그림에서처럼 YTM이 r_1에서 r_3으로 상승할 경우에는 기울기가 가격의 움직임을 실제보다 과대평가(overestimate)하는 경향을 확인할 수 있겠다. 실제 가격은 P_1에서 P_3까지만 움직이는데 기울기로 계산한 근사치는 P_{3a}까지 하락한다고 좀 '오버'하기 때문이다. 자, 이제 뭐 여기까진 대충 알겠는데 지금까지 뭐를 얘기하려고 필자가 그렇게나 길게 지껄였냐고? *넘 오래 이것저것 지껄여서 미안스럽다... 원래 잡담이 많다... ㅠㅠ*

바로 채권 볼록성의 '좋은 점'을 보여주려고 그랬다. 이게 왜 좋은 거냐고? 위 Figure 5를 한번 다시 봐보자. 만약 그래프가 볼록하지 않고 접선(tangent line)처럼 그냥 직선으로 생겼다면 YTM이 상승할 때 가격이 더 많이 떨어졌을 거다. 그치 않나? 그런데 실제로는 볼록하게 생겼기 때문에 가격이 P_{3a}가 아닌 P_3까지만 떨어졌다. 마찬가지로 그전의 Figure 4를 보면 YTM이 하락할 때 가격이 P_2까지 쭉 상승하게 된다. 만약 직선이었다면 P_{2a}까지만 상승하고 말았을 거다. 볼록성 때문에 금리 하락 시에는 채권 가격이 (볼록성이 없을 때보다) 상대적으로 좀 더 상승하게 되고 금리 상승 시에는 좀 덜 하락하게 되므로, 채권 투자자에게는 매우 좋은 장점으로 다가온다 할 수 있겠다. *좋다는 데 모두들 동의하는교?*

시중의 일부 교재들은 채권의 볼록성이 YTM이 변할 때 듀레이션이 얼마나 변하는지를 나타내는 지표이며, 일반적으로 채권은 '양의 볼록성(Positive Convexity)'을 띠는데 이는 YTM이 상승할 때는 듀레이션의 하락을, 반대로 YTM이 하락할 때는 듀레이션의 상승을 의미한다고 설명하기도 한다. 어디 보자... Figure 5를 보면 YTM이 상승했을 때 $(r_3,\ P_3)$ 지점으로 가면 $(r_1,\ P_1)$ 지점에서 보다 곡선이 평평해지니 듀레이션(= 가격 민감도)이 하락하는 게 정상일 듯하고... 또 Figure 4에서 보면 YTM이 하락할 경우 곡선이 더 가팔라지므로 듀레이션은 상승하는 게 맞는 듯하다... 근데 뭔가 좀 이상하다. YTM과 듀레이션은 서로 '역방향'으로 움직이는데, 왜 '양(positive)의 볼록성'이라고 하는 걸까? 미천했던 초보자 시절의 필자는 이게 도저히 이해가 안 갔더랬다. 서로 반대로 움직이는데 왜 양의 값을 가진다고 하지? 도대체 Why???

...(-_-;)... 좀 나중에야 깨달은 사실이지만 그 이유는, 볼록성은 사실 YTM이 변할 때 듀레이션이 아니라 저 기울기 값이 어떻게 변하는지를 나타내는 지표여서 그랬다.*(정말 정확히는 기울기의 움직임을 채권 가격 P로 나눈 값이다: 마지막 부분의 부가 설명 및 부록의 수식 (1) 참조)* 정말 단순하게 표현하자면, 듀레이션과 기울기는 다음의 관계를 가진다:

$$\text{수정 듀레이션} = -\frac{1}{P} \times \frac{\Delta P}{\Delta YTM} = -\frac{1}{P} \times \text{기울기}$$

살짝 까먹고 있었는데, 그렇다, 기울기는 지금까지 항상 '음수'였다! (이 뜻은 듀레이션은 항상 '양수'였다는 거다!) 따라서 YTM이 상승할 때 듀레이션이 하락한다는 얘기는 기울기 값이 사실 '증가'한다는(= 음수에서 점점 더 0 쪽으로) 얘기였던 것이다. 볼록성은 기울기에 대해서 정의됐기 때문에 채권의 볼록성이 [일반적인 채권의 경우] 양(+)의 값을 갖는다는 얘기는 결국 맞는 얘기다. 휴우... 근데 이런 것까지 친절히 설명해 주는 교재는 없더라. 다 그냥 설명 않고 대충 넘어가기만 한다... *이 세상은 정녕 이과생들만을 위한 세상인가???*

필자가 이번 편에서 너무 잡담이 많았나? 암튼, again, 중요한 건 채권은 일반적으로 '양의 볼록성'을 띠며, 이는 채권 투자자에게는 장점으로 작용한다는 점이다. 그리고 수정 듀레이션만 가지고는 곡선의 볼록한 속성 때문에 YTM이 변할 때 채권 가격이 변하는 폭을 정확히 계산하지 못하며, 그 근사치만 계산 가능하다는 점이다. YTM이 하락할 때 수정 듀레이션은 채권 가격의 움직임을 과소평가(underestimate)하고, 반대로 YTM이 상승할 때는 채권 가격의 움직임을 과대평가(overestimate)하는 경향이 있다고 할 수 있겠다. 사실 문과적 마인드를 가진 사람들은 여기까지만 알면 된다. 더 복잡하게 팔 필요 없다. 그런데 아마 학생들 괴롭히는 데 맛들인 교수놈(?)들은 뭐 쿠폰이 높은 채권이 더 낮은 볼록성을 가지느냐 마느냐 하면서 쓸데없이 더 들어갈 거다... 뭐 시험 목적으로는 공부해라. 근데 시험이 끝나고 머리에 남아 있어야 하는 건 필자가 정리해준 위의 내용이면 족하다.

휴우... 길었다... 이제 5편 본문은 이만 여기서 끝내고 볼록성의 수학적 정의와 수식을 필요로 하는 이들만을 위해 부록에 자세히 정리해주려 한다. 다시 말하지만 볼록성은 문과적 마인드를 가진 모두에게 여러모로 좀 많이 어려운 개념이다. 혹시나 학교에서 배웠더라도 이해가 잘 안 갔던 게 어찌 보면 당연한 거라 말해 주고 싶다.

※ *[문과생들은 굳이 읽지 않고 넘어가도 되는] 부가 설명: 43페이지의 수식을 앞에 등장한 그래프들과 연계해 조금 더 자세히 들여다보면, YTM이 상승할수록 '기울기 × (-1)' 값이 '감소'하지만(= 곡선이 점점 평평해지지만), 그 앞에 곱해주는 '1/P' 값은 반대로 점점 '증가' 함을 알 수 있다. 따라서 듀레이션의 움직임은 이 두 가지 영향이 사실상 합쳐진 결과물이 다. 비록 이렇게 '기울기 × (-1)'과 '1/P'는 서로 역방향으로 움직이나, 전자의 효과가 더 크기 때문에 YTM이 상승할수록 듀레이션은 하락하는 것이 정상이다. 이는 정말 정확히 말 하자면 채권 가격 그래프 어느 한 점에서의 '기울기'의 절댓값은 '듀레이션'이 아닌, 듀레이 션에 'P'를 다시 곱해준 값, 즉 'Dollar Duration'을 의미한다는 얘기 되겠다. 곡선의 '곡률 (Curvature)' 또한 '볼록성'으로 정의되는 것이 아니라, [정말 엄밀히 얘기하면] '볼록성 × P' 값으로 정의된다 할 수 있겠고... 근디... 쓰고 보니 초보자들에게 미안타... 읽으면 오히 려 헷갈림만 만빵 늘어나는 부가 설명일 듯하다. ㅠㅠ ㅠㅠ (그래도 나름 중요 포인트임...)*

〈5편 부록〉

5편 본문을 돌아보니 필자 말이 참 많았네그려... 반성하고, 볼록성(Convexity)은 다음과 같이 채권 가격 함수 P를 YTM인 r에 대해서 두 번 편미분한 '이계편도함 수(Second Order Partial Derivative)'를 써서 정의된다:

$$Convexity = \frac{1}{P} \times \frac{\partial^2 P}{\partial r^2} \tag{1}$$

수정 듀레이션 때처럼 앞에 일부러 마이너스를 곱하지는 않는다. *그리고 볼록성이란 번역이 불품없어 쿨한 영단어로 그냥 놔두었다... (-_-;)* 이제 가격 함수 P를 아래와 같이 정의해보자: (3편에서와 같은 표기법(notation)을 쓴다)

$$P = \sum_{i=1}^{n} \frac{Cash\,Flow_i}{\left(1 + \dfrac{r}{k}\right)^{kt_i}} \tag{2}$$

where

P = 채권 가격
$Cash\,Flow_i$ = i번째 현금 흐름
k = 쿠폰의 지급 빈도 (연간 : 1, 반기 : 2, 분기 : 4)
r = 채권의 만기수익률 (YTM;연율)
n = 쿠폰 지급 총 횟수
t_i = i시점을 연 단위 기준으로 표현한 시간

또한 3편의 부록에서 P를 r에 대해 한 번 편미분 하면 다음과 같이 나온다고 이미

알려줬었다:

$$\frac{\partial P}{\partial r} = -\frac{1}{\left(1+\dfrac{r}{k}\right)} \times \sum_{i=1}^{n} \frac{t_i \times CashFlow_i}{\left(1+\dfrac{r}{k}\right)^{kt_i}} \tag{3}$$

(3)을 r에 대해서 다시 한번 더 편미분 하면 다음과 같다:

$$\frac{\partial^2 P}{\partial r^2} = \frac{1}{\left(1+\dfrac{r}{k}\right)^2} \times \sum_{i=1}^{n} \frac{\left(t_i^2 + \dfrac{t_i}{k}\right) \times CashFlow_i}{\left(1+\dfrac{r}{k}\right)^{kt_i}} \tag{4}$$

이제 여기에 (1/P)만 곱하면 그게 바로 볼록성(Convexity) 공식 되겠다:

$$Convexity = \frac{1}{P} \times \frac{\partial^2 P}{\partial r^2} = \frac{1}{P} \times \frac{1}{\left(1+\dfrac{r}{k}\right)^2} \times \sum_{i=1}^{n} \frac{\left(t_i^2 + \dfrac{t_i}{k}\right) \times CashFlow_i}{\left(1+\dfrac{r}{k}\right)^{kt_i}} \tag{5}$$

여까지 따라오느라 고생 많았다. 뭐든지 완벽히 이해하려면 고통스런 이해의 과정이 필요하다. 이쯤에서 벌써부터 본인 머리 깨지려 한다고 기죽을 필요는 없다. 당연한 거니깐~ *Trust me...*

채권(Bond)

제6편 MBS와 음의 볼록성

과거를 돌이켜 보면 금리가 방향을 틀며 좀 급격하게 움직이는 시기에는 항상 '볼록성 헤징(Convexity Hedging)'과 'MBS'에 관련된 뉴스들이 나오곤 했다. 2020년의 바닥권에서 벗어나 상승 국면에 본격적으로 접어들며 금리가 들썩이기 시작하던 2021년에도 이와 관련된 기사들이 어김없이 쏟아졌었는데... 과연 '볼록성 헤징'이란 뭘 의미하는 걸까? 해당 개념을 제대로 이해하고 싶은 초보자들을 위해 이번 편에서는 '볼록성 헤징'이란 것에 관해 설명해 볼까 한다.

지난 5편에서 언급한 바와 같이 채권은 일반적으로 '양의 볼록성(Positive Convexity)'을 띤다. 하지만 단순치 않은 세상이기에, 그 반대의 경우도 물론 존재한다. 그중 가장 대표적인 예가 바로 '주택저당증권(Mortgage Backed Securities; MBS)'이다. 일반적으로 'MBS'라는 약어로 불리는 주택저당증권은 은행이나 기타 금융기관이 개인들에게 준 주택담보대출, 즉 모기지(mortgage)를 기초자산으로 하는 유동화 증권의 일종이다. *(사실 위에 적힌 정의는 엄밀히 말하자면 '주거용 (Residential)' 모기지만을 포함하는 'RMBS'의 정의라 할 수 있다. 참고로 '상업용 (Commercial)' 모기지 유동화 증권은 'CMBS'라 부른다.)*

그럼 왜 'MBS'는 이상하게도 '음의 볼록성(Negative Convexity)'을 가지는 걸까? 이는 시장 금리의 움직임에 따라 기초자산이 조기상환(prepayment) 및 리파이낸싱(refinancing)될 확률이 변동하기 때문이다. 예를 들어보자. 시장 금리가 쭉~ 내려간다. 기존에 높은 금리에 주택담보대출을 받은 사람은 가능하다면 기존의 대출은 끄고 더 낮은 금리의 새로운 대출 상품으로 갈아타고 싶을 거다. 물론 조기상환 페널티(penalty) 같은 것이 존재할 수 있지만 페널티를 내더라도 금리가 일정 수준 이상으로 떨어진다면 갈아타는 것이 더 경제적으로 유리할 수 있다.

이와 같은 이유로 금리 하락기에는 기초자산의 조기상환이 상대적으로 많이 발생하여 MBS의 듀레이션이 자연스레 짧아지게 된다. 반대로 금리 상승기에는? 당연히 조기상환이 상대적으로 덜 발생할 거고, 따라서 듀레이션은 금리가 상승할수록 점점 더 길어지게 된다. 이러한 기초자산(= 모기지)의 특이한 성격상 MBS는 일반적인 채권과 볼록성의 방향이 반대일 수밖에 없다.

MBS를 포트폴리오에 담고 있는 자산운용사들이나 보험사, 연기금들은 이러한 음의 볼록성에 대한 리스크를 헤지(hedge)하기 위해 국채 혹은 파생상품(= 국채 선물(Treasury Futures), 스왑(Swap)/스왑션(Swaption) 등)을 이용하곤 한다. 예를 들어 금리가 하락할 때는 MBS를 담은 포트폴리오의 듀레이션이 짧아지므로 이를 상쇄시키기 위해 국채 중장기물을 매수해야 할 거다.(중장기물을 담으면 포트폴리오 듀레이션이 다시 길어지니깐 말이다. 수많은 채권들 중 국채를 주로 담는 이유는 신용 리스크(Credit Risk)가 없는 초우량 자산이면서 유동성도 가장 풍부해서다.) 반대로 금리가 상승할 때는? 이 시기에는 MBS의 듀레이션이 다시 상승하게 되므로 국채를 시장에 매도해야 할 거다.

눈치 빠른 초보자들은 여기서 중요한 포인트가 뭔지 이미 눈치를 챘을 거다... MBS 포트폴리오를 운용하는 기관들은 금리가 상승할 때 국채를 시장에 매도해야 한다. 볼록성 헤지의 차원에서 말이다. 그렇다면 갑자기 많은 기관들이 한꺼번에 국채를 매도하면 어떻게 될까?

시징 금리 상승

→ MBS 듀레이션 상승

→ **국채 매도 (볼록성 헤지)**

→ 국채 가격 하락 (중장기물 위주)

→ 시장 금리 추가 상승

그렇다. 갑자기 볼록성 헤지를 실행하는 기관들의 국채 매도세가 대규모로 이어지면 시장 금리가 불필요하게 급격히 상승할 여지가 존재하는 것이다. 따라서 시장 금리의 급격한 상승(or 하락)은 볼록성 헤지를 촉발시켜 중장기 금리의 상승(or 하락)을 더더욱 부추길 가능성이 있는 것이다. 다만 연준(Fed)의 양적완화(Quantitative Easing; QE)가 계속되던 2021년에는 다음의 사유로 볼록성 헤지의 증가가 시장에 미치는 영향은 제한 적일 것으로 시장은 예상했다:

① 듀레이션 갭(Duration Gap) 관리를 적극적으로 해오던 Fannie Mae 와 Freddie Mac 같은 정부후원기업(Government-Sponsored Enterprise; GSE)들의 모기지 포트폴리오가 금융위기 이후 상당 부분 축소되었다.

② 전체 MBS의 20%가 넘는 물량을 연준(Fed)이 보유하고 있으며, 연준은 볼록성 헤지를 하지 않는다.

이처럼 연준(Fed)이 시장에서 MBS의 큰손으로 자리매김하고 있어 볼록성 헤지 물량이 그전보다 많지는 않을 거라는 분석이 있었지만, 당시에도 금리가 단기간 급상승할 경우 시장이 놀라서 딸꾹질(hiccup) 몇 번 하게 만들 영향력 정도는 가졌다는 데엔 이견이 없었던 듯하다. 그리고 2022년 중반 경 시작된 양적긴축 (Quantitative Tightening; QT) 정책의 지속은 연준의 MBS 보유량 감소로 이어질 것이기에 향후에도 어떤 방향으로든 채권 시장이 과도하게 불안정한 모습을 보일 때마다 볼록성 헤지의 시장 영향을 다룬 기사들이 재등장하리란 예상은 충분히 자연스러운 것이겠다.

과거에는 대다수가 아무런 신경도 쓰지 않던 미국 국채 및 MBS 시장... 하지만 오늘날에 들어서는 국내의 수많은 '주린이'들까지 관심 있게 관찰하고 있는, 뭔가 희한한 형국이 돼버렸다. *요 몇 년간 美 국채 '레버리지' 펀드들에까지 개미들의 베팅이 이어지고 일부 ~~짜바라~~전문가들이 방송에 나와 할머니·할아버지들에게 MBS 펀드 투자를 종용하고 있는 상황이니, 말 다 했지 뭐... (-_-;)* '금리'는 정말 2020년도 이전에는 일부 금융업 종사자들 빼고는 그 누구의 관심사도 아니었는데... 쩝, 최근 들어 세상이 정말 많이 변한 듯싶다.

그런데 듀레이션, 양의 볼록성, 그리고 MBS와 음의 볼록성 같은 기초적인 채권 개념들에 대한 아무런 이해도 없이 그냥 무지성으로 뛰어드는 이들이 혹시나 많은 건 아닐지... '묻지마'성 투자와 '한 방향' 베팅에 중독된 이들이 그 어느 때보다 많아 보이는 오늘날, 진심으로 우려되는 부분이 아닐 수 없다.

채권(Bond)

제7편 채권 가격 변동률은 테일러 전개로부터

인터넷을 돌아다니다 보면 지식인 같은 곳들에서 금융 자격증 교재에 나오는 문제들을 못 풀겠으니 본인 대신 문제 풀이를 해달라는 요청의 글을 종종 보곤 한다. 그중엔 다음과 같은 형식의 채권 관련 문제도 있었다:

문제) 5년 만기 X% 이자를 지급하는 이표채의 현재 가격은 9,000원으로 연 9%의 만기수익률을 준다. 이 채권의 수정 듀레이션은 4.35, 볼록성은 20.8이다. 이 채권의 만기수익률이 0.5%p 상승하면 채권 가격은 얼마나 변하는지 주어진 듀레이션과 볼록성을 사용해 계산하라.

와우... 수정 듀레이션(Modified Duration)과 볼록성(Convexity)을 숫자로 그냥 툭 던져주고 공식을 사용해 채권 가격의 변화를 계산하라니...*(이건 뭐. 저 때가 쌍팔년도도 아니고... 쿨럭)* 과연 이 문제를 푸는 사람들이 모두 듀레이션이 뭘 의미하는지, 볼록성은 도대체 무슨 뜻인지, 그리고 사용할 공식은 어디서 어떻게 나왔는지 제대로 이해는 하고 푸는 걸까? 그냥 오로지 '문제 풀이' 목적으로 주요 개념들에 대한 이해 없이 공식만 달달 외워서 기계적인 계산만 하고 끝나버리는 게 아닐까?

흠... 아마도 그렇겠지? 시험만 패스하고 뭔 자격증이든 빨리 따서 취직이나 승진에 도움이 되게 하는 게 주목적일 테니깐 말이다. 우리가 사는 오늘날의 슬픈 현실이 아닐 수 없다. 이런 영혼 없는 문제들을 볼 때마다 우리나라 금융 교육이란 게 과연 이런 식으로 이루어질 수밖에 없는 건지 하는 안타까움에 마음 한구석이 갑갑해지곤 한다.

이번 편에서는 위와 같은 문제 풀이에 사용해야 하는 공식과 관련해 그 도출 과정을 짧게나마 설명해 주려 한다. 누군가에 의해 던져진 공식만 달달 외우는 것 보담 공식의 근간을 이해한다면 머리에 더 오래 남을 수 있기 때문이다. 전반적인 이해도도 높아짐은 물론이고... 그럼 배움이 고픈(?) 소수를 위해 한번 시작해 볼까?

시중의 일부 금융 교재들에서 그냥 던져주곤 하는 채권 가격의 변동률 산출 공식은 사실 '함수의 테일러 전개(Taylor Expansion) 과정'으로부터 도출된 것이라 할 수 있다. 미적분학(Calculus)에서 '테일러 전개'란 무한번 미분이 가능한(infinitely differentiable) 어떤 함수 'f(x)'를 아래와 같이 무한개의 항을 가진 다항식의 형태로 나타내는 방법을 지칭한다:

$$f(x) = f(a) + \frac{f'(a)}{1!}(x-a) + \frac{f''(a)}{2!}(x-a)^2 + \frac{f'''(a)}{3!}(x-a)^3 + ... \quad (1)$$

$$= \sum_{n=0}^{\infty} \frac{f^{(n)}(a)}{n!}(x-a)^n$$

(1)은 또한 다음과 같은 형태로 표현되기도 한다:

$$f(x+h) = f(x) + \frac{f'(x)}{1!}h + \frac{f''(x)}{2!}h^2 + \frac{f'''(x)}{3!}h^3 + \dots \qquad (2)$$

$$= \sum_{n=0}^{\infty} \frac{f^{(n)}(x)}{n!}h^n$$

위의 (1)과 (2)에서처럼 어떤 함수를 다항식의 무한합으로 표현하면 이를 그 함수의 '테일러 급수(Taylor Series)'라 부른다. 만약 (2)에서 'f(x)'를 양변에 똑같이 빼주면 좌변이 'f(x+h) − f(x)'가 되므로, 이를 수익률의 작은 변화 h(= △r)가 일으키는 채권 가격의 변화(= △P)로 간주해본다면 상기의 테일러 급수 형식을 빌려 채권 가격 변동률(= △P/P)을 다음과 같이 나타낼 수 있다:

$$\triangle P = \frac{1}{1!}\frac{dP}{dr}\triangle r + \frac{1}{2!}\frac{d^2 P}{dr^2}(\triangle r)^2 + \dots \qquad (3)$$

$$\Rightarrow \frac{\triangle P}{P} = \frac{1}{P}\frac{1}{1!}\frac{dP}{dr}\triangle r + \frac{1}{P}\frac{1}{2!}\frac{d^2 P}{dr^2}(\triangle r)^2 + \dots$$

$$\approx \frac{1}{P}\frac{dP}{dr}\triangle r + \frac{1}{2}\frac{1}{P}\frac{d^2 P}{dr^2}(\triangle r)^2$$

위의 (3)에서 마지막 식은 테일러 전개의 과정에서 '이계도함수(Second Order Derivative)'까지만 반영한 채권 가격 변동률(rate of change)의 '근사치' 정도로 이해할 수 있겠다.

엇, 근데 여기서 잠깐! 채권 가격의 일계도함수와 이계도함수를 채권 가격으로 다시 나눈 걸 각각 뭐라고 불렀었더라? 우리 이미 다 배우지 않았나? 다시 자세히 복습하고 싶은 초보자들은 3편과 5편 부록 섹션의 수식들을 보고 오기를 추천한다. 물론 그러기 귀찮은 이들은 그냥 아래의 (4)를 바로 참고해도 되고...

$$\frac{1}{P}\frac{dP}{dr} = - \text{수정 듀레이션}\,(Modified\,Duration) \qquad (4)$$

$$\frac{1}{P}\frac{d^2P}{dr^2} = \text{볼록성}\,(Convexity)$$

※ (4)에서는 편의상 채권 가격 함수를 수익률(= r)에 대한 일변량 함수(Univariate Function: 단변수 함수)로 단순 가정 및 표기하였음을 알린다.

그렇다. 각각 수정 듀레이션(곱하기 –1), 그리고 볼록성이라 정의했었다. 따라서 (3)의 마지막 수식을 다음과 같이 좀 더 정겹게(?) 표현하는 것이 가능하다:

$$\frac{\triangle P}{P} \approx - \text{수정 듀레이션} \times \triangle r + \frac{1}{2} \times \text{볼록성} \times (\triangle r)^2 \qquad (5)$$

휴우~ 끝났다... (5)가 바로 시중의 금융 교재들에서 영혼 없이 던져주는 바로 그 공식이다. 따라서 듀레이션과 볼록성을 가지고 채권 가격 변동률의 근사치를 구하는 공식은 가격 함수의 테일러 전개(Taylor Expansion) 과정에서 파생된 것이라 정리할 수 있겠다.

필자는 (5)의 공식만 달달 외워 그냥 기계적인 문제풀이만 하게 만드는 현 시스템이 너무나 안타깝다. 문제(?)는 문제를 푸는 사람이 아니라 이런 영혼 없는 산수 문제들이나 만들면서 각종 (별 의미 없는) 자격증 장사를 하는 곳들에 있다고 본다. 이런 식으로는 금융을 이해하는 데 필요한 정말 중요한 지식은 얻지 못할 게 뻔한 데도 말이다... 왠지 마음이 씁쓸해지려 한다.

채권(Bond)

제8편 아 놔, 현물이자율은 또 뭔디?

정말 산 넘어 산이다. 'YTM'이랑 '듀레이션', 그리고 그 어렵다는 '볼록성'까지 겨우 이해했더니 대부분의 교수나 아님 시중의 금융 교재들은 이제 '현물이자율(Spot Rate)'이란 친구를 데리고 나올 거다. '수익률 곡선(Yield Curve)' 도출 시 'Par Curve' 말고 'Spot Curve'가 진정한 할인율을 나타낸다는 설명과 함께...

'이게 대체 다 뭔 강아지 소리다냐???'라며 괴로워한(그리고 괴로워할) 사람들 많을 거다. 각종 금융 관련 국내 자격증이 됐든 학교 시험이 됐든 아님 CFA 레벨 1 준비 과정이 됐든 어디든지 요 현물이자율 혹은 Spot Rate이란 개념은 YTM 이해한 지 얼마 안 돼 어김없이 등장한다. 안 그래도 머리가 깨질 것 같은데, 요것을 그 뭐냐, 신발, 아니 부트스트래핑(Bootstrapping)을 통해 계산할 수 있다는 귀신 씻나락 까먹는 소리까지 해대면서 말이다...

시중에서 팔리는 대부분의 교재들에 담겨져 있는 채권의 주요 개념들에 대한 설명들은 솔직히 필자가 읽어도 헷갈리거나 과도하게 어렵게 써져있는 경우가 대부분이다. 오늘 소개할 'Spot Rate'이란 놈(?)에 대한 설명도 마찬가지다. 뭔 뜻인지 모를 설명을 받아들이기 어려워 그냥 외워버리는 경우도 많을 거다. 이런 경우는 정말 아예 안 읽음만 못하다. 그래서 초보자도 이해할 수 있게 필자가 가능한 한 쉽게 설명해 주려 한다. 모든 이에게 100% 성공할 수 있을지 자신은 없다. 그래도 최선을 다해 노력해 보겠으니 함 따라와 보시라...

Spot Rate은 보통 '현물이자율'로 번역하는데, 업계에서는 그냥 영어로 '스팟 레이트'라고도 많이 부른다.*(참고로 Spot Rate에는 두 가지 뜻이 있는데, 하나는 여기서 다룰 뜻이고, 여기서 다루지 않을 또 다른 뜻은 '미래' 시점에 결제되는 선물(Futures)이나 선도(Forward) 거래와 대비되는, '현재' 시점에 결제되는 금융상품의 가격이 되겠다. 참 복잡다단한 세상이 아닐 수 없다...)* 또한 'Spot Rate'은 'Zero Rate'라고도 불리며, 보통은 수익률 곡선(Yield Curve)의 개념을 소개할 때 '짜잔~'하면서 출현하곤 한다. 암튼 이 'Spot Rate'을 이해하기 위해서는 먼저 채권의 가격 결정식, 즉 YTM을 구할 때 쓰는 그 기본 식을 다시 한번 들여다볼 필요가 있다. 1편에서 이미 보여줬듯이, 원금 $100, 이표율 5%, 만기 3년, 매년 쿠폰을 지급하는 채권의 현재 가격이 Par(= $100)라고 가정할 때, 해당 채권의 만기수익률(YTM)은 아래의 식으로 도출 가능하다:

$$\left(\frac{\$5}{(1+r)^1} + \frac{\$5}{(1+r)^2} + \frac{\$5}{(1+r)^3} \right) + \frac{\$100}{(1+r)^3} = \$100$$

당연히 위의 등식을 만족시키는 r의 값이 바로 YTM 되겠다. 숫자를 직접 넣어보면 알겠지만 여기서 r은 5%로 계산된다. 위의 식을 곰곰이 다시 함 들여다보자. 그러면 이 r이란 것이 각 시점의 현금 흐름을 할인할 때 쓰는 할인율(Discount Rate)이라는 사실을 쉽게 알 수 있을 것이다. 위에서는 1년째 현금 흐름에 적용하는 할인율이든, 2년째 현금 흐름에 적용하는 할인율이든, 3년째에 적용하는 할인율이든 r이라는 단일 이율로 간단히 표현했다.

그런데 말이다... 이것은 우리의 입맛에 맞게 억지로 '단순화', '간편화'시킨 것이고, 실제 세상은 이보다 살짝 더 복잡하다. *(두둥~~ 영화 '매트릭스'에서처럼 우리는 우리가 살고 있는 세상이 진짜인지 알았는데. 그렇다. 더 복잡한 진짜 세계가 따로 있었다!)* 근데 지금까지 머리 아파질까 봐 일부러 말 안 해줬던 거다. 미안타. 실제 세상은 사실 아래와 같이 돌아간다:

$$\left(\frac{\$5}{(1+r_1)^1} + \frac{\$5}{(1+r_2)^2} + \frac{\$5}{(1+r_3)^3} \right) + \frac{\$100}{(1+r_3)^3} = \$100$$

두둥~~ 그렇다, 각 시점별로 적용하는 할인율이 실제는 다 달랐던 것이다... 근데 생각해 보면 각 시점마다 금리가 다 다른 게 뭔가 더 현실적이고 더 자연스럽지 않나? 은행에 가도 1년 정기예금 금리보다 2년 정기예금 금리가 더 높고 3년 정기예금 금리가 또 더 높아야 정상 아닌가? *(물론 '우상향'하는 수익률 곡선 가정 시에 말이다.)* 그니깐 실제 세상에선 1년째 현금 흐름은 r_1으로 할인하고, 2년째는 r_2, 3년째는 r_3으로 각각 다른 걸 가지고 하는 것이 정상이다. 근데 전에 YTM 구할 때는 왜 시점에 상관없이 r 하나로 통일시켰었냐고?

YTM이라는 숫자 하나가 주는 간편함 때문에 그랬다. 예를 들어 YTM이 5%면 '아, 이 채권 사면 5% 정도 연 수익을 기대하면 된다는 뜻이구나'라고 정말 쉽고 간편하게 이해하고 넘어갈 수 있으니깐 그랬다. 그래서 YTM도 매우 유용한 개념이라 할 수 있다. 다만 '매트릭스' 밖의 진짜 세상은 각 시점의 할인율을 다 다르게 가정하고 있다.

근데 저 할인율을 도대체 어떻게 구하냐고? 미지수가 3개고, 식은 하나인데? 저 식을 만족하는 r_1, r_2, r_3의 조합은 수없이 많이 존재할 텐데??? *(그중 하나가 바로 「r_1=*

r₂= r₃= 5%」되겠다...) 뭐, 다음과 같은 추가적인 가정들을 해본다면 충분히 가능한 부분이겠다:

필요 가정

① 위에서 가정한 3년 만기 채권 말고도 시장에는 1년 만기, 그리고 2년 만기 채권이 존재한다.

② 이 중 가장 짧은 만기의 채권은 만기에만 현금 흐름이 발생하는, 무이표채(Zero Coupon Bond) 형식의 채권이다.

자, ①번 가정은 시장에 1년 만기, 2년 만기 채권이 존재해야지만 r_1, r_2를 구할 수 있으니 당연해 보이고, ②번은 왜일까? 바로 1년 만기 채권이 무이표채 형식이 아니면 r_1을 구할 수 없어서다. 왜냐고? 조금만 생각해 보면 알 수 있다. 만약 1년 만기 채권의 쿠폰 지급 주기가 연간(Annual; 즉, 1년 뒤 만기일에 원금과 쿠폰이 '한꺼번에' 지급되는 마치 무이표채와 같은 형식)이 아니라 반기(Semiannual)라고 가정해 보자. 이 경우, [교과서적인] 채권 가격 결정식은 다음과 같을 것이다:

$$\left(\frac{\text{반기 쿠폰}}{\left(1 + \frac{r_{0.5}}{2}\right)^1} + \frac{\text{반기 쿠폰}}{\left(1 + \frac{r_1}{2}\right)^2} \right) + \frac{\text{원금}}{\left(1 + \frac{r_1}{2}\right)^2} = \text{채권 가격}$$

※ 위에서 $r_{0.5}$와 r_1은 물론 '연이율'이다. 쿠폰 주기와 동일한 '반기복리'를 가정했다.

실제 세상에서는 시점별로 각각의 할인율이 존재하기 때문에 6개월 후 시점의 할인율(= $r_{0.5}$) 하나가 더 생겨 버린다. 방정식은 하나인데 미지수가 2개가 되므로 우리가 알고 싶은 r_1의 정확한 값을 알아낼 수가 없다. 따라서 위의 예제에서 가장 짧은 만기의 채권이 무조건 무이표채(Zero Coupon Bond) 형식이여야만 미지수가 1개가 되어 1년 후 시점의 할인율인 r_1을 구할 수 있다는 얘기다. *휴우... 길었다... (-_-:)*

※ 혹자는 쿠폰이 원금과 함께 지급되는데 필자가 자꾸 '無이표채'라는 용어를 써서 헷갈릴 수도 있겠다. 필자가 말하는 '무이표채 형식'이란, 원금/쿠폰 상관없이 단순히 채권의 현금흐름(cash flow)이 만기에만 딱 한 번 발생하는 것을 의미한다. 헷갈리게 해서 미안타.

※ 또한 같은 논리로 2년 만기, 3년 만기 채권도 쿠폰 지급 주기가 연간(annual)이어야 r_2 및 r_3을 구할 수 있다. 만약 반기별 쿠폰 지급 형식이라면, 1.5년 만기, 2.5년 만기 채권들이 시장에 존재한다는 추가 가정이 필요할 것이다.

이제 대충 알았으니, 아래의 매우 심플한 예를 가지고 r_1, r_2, r_3을 어디 한번 구해볼까나?

	만기	쿠폰 주기	원금	이표율	가격	YTM	할인율
채권 1	1년	연간	$100	3.00%	$100	3.00%	r_1 = ?
채권 2	2년	연간	$100	4.00%	$100	4.00%	r_2 = ?
채권 3	3년	연간	$100	5.00%	$100	5.00%	r_3 = ?

자, r_1 먼저 가보자:

$$\frac{\$3}{(1+r_1)} + \frac{\$100}{(1+r_1)} = \$100$$

$$\Rightarrow r_1 = 3.00\%$$

흠... 예제가 너무 쉬웠나? ㅎㅎㅎ ㅎㅎㅎ 당연히 위에서 Par 가격을 가정했으므로 r_1은 이표율과 같은 3%로 계산된다. 그럼 다음으로 채권 2의 가격 결정식을 통해 r_2를 계산해 보자:

$$\frac{\$4}{(1+r_1)} + \frac{\$4}{(1+r_2)^2} + \frac{\$100}{(1+r_2)^2} = \$100$$

$$\Rightarrow r_2 \approx 4.02\%$$

1년 시점의 할인율인 r_1이 3%라고 이미 알고 있으니, 남은 미지수는 2년 시점 할인율인 r_2 하나 되겠다. r_1에 3%를 대입한 후 r_2 값을 계산해보면 채권 2의 YTM 보다 아주 살짝 높은 4.02% 정도로 나온다. 그럼 마지막으로 채권 3을 이용, r_3도 계산해보자:

$$\frac{\$5}{(1+r_1)} + \frac{\$5}{(1+r_2)^2} + \frac{\$5}{(1+r_3)^3} + \frac{\$100}{(1+r_3)^3} = \$100$$

$$\Rightarrow r_3 \approx 5.07\%$$

r_1= 3.00%, r_2= 4.02%를 위의 식에 대입하면, 남은 미지수 r_3은 5.07% 정도로 계산됨을 알 수 있다. 이 또한 3년 만기 채권의 YTM(= 5%)보다 살짝만 더 높은 수준임을 알 수 있다. 이제 필요한 모든 할인율을 구했으니, 예제 테이블을 다음과 같이 완성할 수 있겠다:

	만기	쿠폰 주기	원금	이표율	가격	YTM	**할인율**
채권 1	1년	연간	$100	3.00%	$100	3.00%	**3.00%**
채권 2	2년	연간	$100	4.00%	$100	4.00%	**4.02%**
채권 3	3년	연간	$100	5.00%	$100	5.00%	**5.07%**

맨 오른편에 굵게 표시된 할인율들이 바로 각 만기별 '현물이자율'들이다. 현물이자율이 때때로 'Zero Rate'라고도 불리는 이유는 바로 각 시점에 해당하는 만기를 가진 '무이표채(**Zero** Coupon Bond)'의 할인율로 해석될 수 있기 때문이다.

전 페이지의 r_3을 구할 때 썼던 마지막 수식을 다시 한번 곰곰이 들여다보면 식의 좌변을 「3개의 각기 다른 만기를 가진 무이표채들의 현재가치」로 해석 가능하다는 사실을 깨달을 수 있을 거다; 즉, 원금이 $5인 1년 만기 무이표채 하나, 원금이 $5인 2년 만기 무이표채 하나, 그리고 원금이 $105인 3년 만기 무이표채 하나, 이렇게 총 3가지 무이표채의 현재가치의 합을 나타낸다고도 볼 수 있는 것이다. r_1, r_2, r_3은 따라서 이 무이표채들의 현금 흐름을 현재가치화하는 데 쓰는 각각의 할인율이고 말이다... 이제 왜 현물이자율을 'Zero Rate'이라고도 부르는지 감이 올랑말랑 하나? *아직 안 온다고 포기하지 말자* ㅠㅠ *계속 보면 곧 올 거다... Trust me...*

Par 가격을 가지는 채권들의 YTM(Par일 때는 이표율과 같아짐)을 기준으로 수익률 곡선을 그리면 이를 Par Curve라고 한다. 그리고 현물이자율(Spot Rate) 기준으로 수익률 곡선을 그리면 이를 Spot Curve(= Zero Curve)라 하고... 근데 둘 중 어느 게 더 의미 있냐고? 당연히 Spot Curve다. 왜냐고? 우리가 이렇게 힘들게 구했으니 더 의미 있고 귀한 거라고 그냥 생각해야 한다... *사서 고생한 보람이 있어야 할 것 아닌가? ㅎㅎㅎ 안 그럼 멘탈 나간다... ㅎㅎㅎ* 사실 더 의미 있는 진짜 이유는 Spot Rate은 특정 시점의 현금 흐름을 현재가치(Present Value)화하는 데 바로 쓸 수 있는 매우 편리한 도구(= 할인율)라서 그렇다. 美 재무부의 국채 설명 자료들에서도 미래의 현금 흐름을 Par Curve로 할인하는 것은 틀린 방법이며 제대로 하려면 Spot Curve를 써야 한다고 은근 강조하고 있기도 하다. 마지막으로 별로 중요하진 않은데 알려주고 싶은 것 하나는 우리가 위에서 Spot Rate을 도출한 노가다 과정을 금융 전문가들은 '부트스트래핑(Bootstrapping)'이라는 이름으로 멋지게 부른다는 점이나. *근데 필사는 냄새나는 '신발' 생각만 난다...* 왜 그렇게 불리게 됐는지까지 알려고 하면 초보자들의 머리가 터질 수도 있으니 이번 편은 여기서 이만 마치기로 하겠다. *초보자들 머리의 '안녕'을 위해서~ ㅎㅎㅎ*

채권(Bond)

제9편 이건 쪼끔 쉽다: 선도이자율

채권에 관련한 여러 개념들 중 그나마 상대적으로 이해하기 쉬운 개념이 '선도이자율(Forward Rate)'이란 친구다. 앞에서 이미 커버한 '맥컬리 듀레이션(Macaulay Duration)'이라든지, '볼록성(Convexity)'이라든지, '현물이자율(Spot Rate; Zero Rate)'이라든지 하는 놈(?)들보다는 쪼끔이나마 덜 복잡한 개념이다. 아마 문과생 마인드의 초보자들한테도 크게 어렵지 않을 거다. 휴우... 그나마 다행이다. 수익률곡선(Yield Curve)과 관련된 이자율 개념의 마지막을 장식하는 이 '선도이자율'이란 게 상대적으로 이해하기 수월하니깐 말이다. *Again, '상대적'으로 말이다.*

선도이자율을 구하는 데 먼저 필요한 것이 있다. 바로 지난 편에서 구했던 현물이자율(Spot Rate; Zero Rate)이다. 보통 현물이자율을 먼저 구하고 거기에서 또 선도이자율을 추출하는 것이 일반적인 방식이다. *따라서 이번 편 읽기 전에 꼭 8편 먼저 공부를...*

자, 그럼 이제 본론으로 들어가 보자. 먼저 현물이자율이 각 만기별로 다음과 같이 형성돼있다고 단순하게 가정을 해보자:

만기	현물이자율	선도이자율
1년	5.00%	–
2년	6.00%	f_1
3년	7.00%	f_2
4년	8.00%	f_3

위의 예제에서는 정말 깔끔하게 현물이자율의 소수점 뒤를 모두 '0'으로 만들었지만, 지난 편에서 보았다시피 사실 현물이자율을 부트스트래핑(Bootstrapping)을 통해 추출하다 보면 뒷자리가 매우 더럽게(?) 나오는 게 정상이다. 여기서는 편의상 일부러 단순하게 만들었음을 알린다. 그리고 또한 심플하게 '연복리'를 가정하였고, 위에 적힌 이자율들이 모두 연이율이라는 점도 미리 얘기해 준다.

자, 이제 위 테이블의 숫자 중 '2년 만기 현물이자율 6%'가 뜻하는 게 뭔지 좀 같이 생각해 보자. 현물이자율을 'Zero Rate'이라고도 부른다는 거 다들 기억하는가? *벌써 까먹었으면 실망이여~~* 현물이자율은 무이표채(Zero Coupon Bond) 형식의 현금 흐름에 적용하는 개념이다. 그니깐 오늘 2년 만기 정기예금에 돈을 넣으면 1년 뒤는 그냥 건너뛰고(= 아무것도 안 주고) 2년 뒤에야 '6%의 연복리로 계산해서' 돈을 돌려주는 구조를 생각해 보면 된다. 여기서 질문 하나만 던져보자. 2년 만기 현물이자율이 6%일 때, 2년 만기 정기예금에 오늘 1,000원을 넣으면 2년 뒤에는 과연 얼마를 돌려받게 되는 걸까? 뭐, 별로 복잡할 거 없다. 단순히 아래와 같다:

$$1,000원 \times (1+6\%) \times (1+6\%)$$
$$= 1,000원 \times (1+6\%)^2$$
$$= 1,123.60원$$

'연복리'를 가정하였고, 기간이 2년이므로 (1+6%)의 제곱을 곱하면 2년 뒤 원리금이 1,123.60원이 됨을 알 수 있다. 3년 만기 정기예금에 돈을 넣는다면 같은 논리로 (1+7%)의 세제곱을 곱하면 3년 뒤의 원리금을 계산할 수 있을 거다.

자, 그러면 이제 이런 질문도 해 볼 수 있겠다: 2년 만기 정기예금에 안 넣고 그냥 1년 만기 정기예금에 돈을 넣은 다음, 1년 뒤 만기일에 원리금을 찾아 또다시 1년 만기 정기예금에 넣는다면 원리금은 총 얼마로 불어날까? … … … 애석하게도 답은 '알 수 없다'이다. 왜냐면 1년 뒤에 1년 만기 금리가 어떻게 변할지 현재 시점에서는 모르기 때문이다. 예제에서 주어진 오늘의 1년 만기 현물이자율은 5%이지만, 1년 뒤에는 이게 어떻게 변할지 아무도 모른다.

자, 그럼 다음 질문에는 답할 수 있나? "그냥 2년 만기 정기예금하는 거랑, 1년 만기 정기예금에 돈을 넣고, 1년 뒤에 만기가 돌아오면 그때 가서 또다시 1년 만기 정기예금에 드는 거랑 수익성 면에서 서로 별반 차이가 없으려면, 1년 뒤의 1년 만기 현물이자율은 얼마가 돼야 할까?"

ㅎㅎㅎ ㅎㅎㅎ 가능한 한 쉽게 쓰려고 했는데 넘 길어진 것 같다.. 쏘리다... 필자 소양이 부족해 이보다 더 짧게는 표현이 안 된다... ㅠㅠ

눈치 빠른 이들은 이미 '촉'이 왔겠지만 위 질문에 답을 하는 것은 가능하다. 바로 아래의 식을 풀면 된다:

$$1,000원 \times (1+5\%) \times (1+f_1) = 1,000원 \times (1+6\%)^2$$

※ 사실 1,000원은 위의 식에서 불필요하다. 양변을 1,000원으로 나누면 그냥 없어져 버리니깐. 그래도 이상하게 필자는 초보자 시절 저 1,000원이라는 금액이 앞에 붙어 있어야 식

위의 식을 풀면 f_1은 7.01% 상당으로 계산된다. 바로 이 f_1이란 친구를 1년 후의 1년 만기 '선도이자율(Forward Rate)'이라 부른다. 만일 진짜로 1년 뒤에 1년 만기 현물이자율이 7.01%와 같아진다고 한다면 이런 세상에서는 1년 만기 정기예금을 매년 굴리나 2년 만기 정기예금으로 돈을 굴리나 별반 차이가 없을 거다. 선도이자율이 갖는 의미에 대해서는 좀 이따 다시 함 생각해 보고, 이번에는 f_2를 구해볼까?

$$1,000원 \times (1+6\%)^2 \times (1+f_2) = 1,000원 \times (1+7\%)^3$$

위의 식을 풀면 f_2는 9.03% 상당으로 계산된다. f_2는 2년 후의 1년 만기 선도이자율을 나타낸다. 돈을 3년 만기 정기예금으로 굴리는 경우와 2년 만기 정기예금으로 일단 한 번 굴린 다음 다시 1년 만기 정기예금을 드는 경우의 수익성이 서로 같아지게 만드는 금리가 바로 f_2 되겠다. 마지막으로 f_3도 함 구해보자.

$$1,000원 \times (1+7\%)^3 \times (1+f_3) = 1,000원 \times (1+8\%)^4$$

f_3은 11.06% 상당으로 계산된다. 당연히 f_3은 3년 후의 1년 만기 선도이자율을 나타내며, 이는 돈을 4년 만기 정기예금으로 굴리는 경우와 3년 만기 정기예금으로 일단 한 번 굴린 다음 다시 1년 만기 정기예금을 드는 경우의 수익성이 서로 같아지게 만드는 금리를 의미한다.

이제 다 구했으니 표의 빈칸들을 아래와 같이 채울 수 있겠다:

만기	현물이자율	선도이자율
1년	5.00%	-
2년	6.00%	7.01%
3년	7.00%	9.03%
4년	8.00%	11.06%

위에서와 같은 방법으로 2년 후의 2년 만기 선도이자율, 1년 후의 3년 만기 선도이자율 등등 원하는 시점의 원하는 만기의 선도이자율들도 얼마든지 구할 수 있을 거다. *위에서는 샘플로 각 시점별 '1년 만기' 선도이자율들만 구했다.*

이번엔 선도이자율이 갖는 의미에 대해서 좀 더 생각해 보자. 이를 위해서는 먼저 '수익률 곡선(Yield Curve; *금리 커브'라고도 부른다*)'과 관련된 가설들을 살펴볼 필요가 있다. 수익률 곡선에 관한 가설들은 여러 개가 존재하는데, 그중에 가장 유명한 건 아래의 두 가지다. *(보통 'Preferred Habitat Theory'와 'Market Segmentation Theory'까지 해서 총 4개 정도 소개하는데. 아래 두 개가 그중에서는 가장 중요한 가설들이라 본다.)*

① Expectations Hypothesis – 기대 가설
② Liquidity Preference Hypothesis – 유동성 선호 가설

①번의 '기대 가설'이 주장하는 바는 수익률 곡선에 '내재된(implied)' 선도이자율은 현물이자율의 향후 변화에 대한 시장의 기대치(expectation)를 나타낸다는 것이다. 예를 들어 f_1이 7.01%라는 얘기는 이 가설에 의하면 시장에서 1년 만기 현

물이자율이 현재의 5%에서 1년 후에는 7.01%로 급등할 것이라 기대·예상한다는 소리다. 따라서 시장의 기대가 충분히 합리적이라면 1년씩 두 번 정기예금을 하나, 2년 만기 정기예금을 하나 서로 차이가 없어야 할 거다. 이 경우엔 선도이자율과 예상되는 현물이자율 사이의 관계를 다음과 같이 나타낼 수 있겠다:

$$f_1 = \text{1년 뒤 예상되는 1년 만기 현물이자율}$$

기대 가설에 의하면 시장은 1년 뒤에 1년 만기 현물이자율이 무려 2.01%p나 상승할 것으로 보고 있는 거다. 수익률 곡선이 이런 시장의 기대를 담고 있는 거라 간주하고 있다.

자, 그건 이해되는데, 두 번째 이론인 '유동성 선호 가설'(*'유동성 프리미엄(Liquidity Premium) 가설'이라고도 불린다*)은 또 뭐냐꼬? 사실 이미 느꼈을 수도 있겠지만 1번의 기대 가설은 세상을 너무 단순하게 가정하고 있다. 1년 만기 정기예금이나 2년 만기 정기예금이나 사람들의 선호도가 같다고 말이다. 과연 선호도가 같을까? 필자도 돈이 2년, 3년, 4년 묶여있는 것보다 1년 만기 상품에 가입하는 것을 더 선호할 것 같다. 왜냐고? 만기가 길어질수록 '불확실성(uncertainty)'이란 게 증가하기 때문이다. 세상에 뭔 일이 발생할지 어케 아나? 그동안 인플레이션이 예상치 못하게 치고 올라올 수도 있고, 시장 금리도 급변할 수 있고, 세상이 어떻게 변할지 모르는데 당연히 돈을 오래 묶어 놓는 것보다는 가능한 한 짧은 만기의 금융상품에 투자하는 게 리스크 측면에서 더 선호될 거다.

따라서 유동성 선호 가설은 '선도이자율이 미래의 금리 움직임에 대한 시장의 기대뿐만 아니라 더 긴 만기로 인해 생기는 유동성 프리미엄까지 반영한다'라고 해석하고 있다. 미래에 대한 예상치에 더해서 돈을 오래 묶어 놓는 데 대한 보상, 즉 프

리미엄을 얹어주는 걸 감안한 수치로 보는 것이다. 이 뜻은 다시 말하면 다음과 같다:

$$f_1 \,〉\, \text{1년 뒤 예상되는 1년 만기 현물이자율}$$

유동성 선호 가설은 수익률 곡선에 내재된(implied) 선도금리가 유동성 프리미엄까지 포함하기 때문에 시장이 기대하는 금리 수준보다 f_1이 더 높게 형성돼야 정상이라 상정한다. 어떤가, 말 되는가? 사실 이게 ①번 가설보다는 좀 더 현실적이지 않나? 예를 들어 30년 만기 같은 장기 채권에 투자하는 사람들은 그에 상응하는 유동성 프리미엄을 요구하는 게 자연스러우니깐 말이다. 수익률 곡선에 바로 이 유동성 프리미엄이 내포되어 있다고 보는 거다.

이렇듯 ②번 가설이 더 현실성이 있다고 보지만, 유용성 면에서 보면 ①번의 기대 가설은 '심플함'이라는 큰 장점을 지니고 있다. 그래서 앞으로 금융 쪽을 더 배우다 보면 더 복잡한 개념들을 설명하기 위해 선도이자율 관련해서는 그냥 ①번 기대 가설에 기반한 단순 가정을 해버리고 넘어가는 경우를 많이 볼 수 있을 거다. 가정의 '심플함'이 주는 장점 때문이다.

설명이 생각보다 길어졌지만, 전반적으로 '볼록성'이나 '현물이자율' 이런 개념들보다는 그래도 이 '선도이자율'이란 개념이 대부분의 사람들에게 상대적으로 좀 더 수월하게 와닿을 거다. *아직 안 와닿는다고 실망하지 말자... 한 번 더 읽으면 와닿을 거다... (-_-;)* 대충 주요 개념들은 다 커버한 것 같으니 이번 편은 여기까지다.

채권(Bond)

제10편 현물·선도이자율 문제 함께 풀어보자!

이번 편에서는 지금까지 배운 걸 복습하는 의미에서 현물이자율과 선도이자율을 신발, 아니 '부트스트래핑(Bootstrapping)' 과정을 통해 함께 도출해볼까 한다. 같이 문제 한번 풀어보는 시간 되겠다. Yay! 참고로 아래의 예제는 지금까지와는 다르게 연복리가 아닌 '반기복리(Semiannual Compounding)'를 가정해서 계산을 살짝 더 복잡하게 만들어봤다. 보통 시험 문제들이 일부러 계산하기 어렵게 꼬아서 나오지 않나... 그래서 필자도 따라서 살짝 꼬아봤다. *정말 사악한 세상이 아닐 수 없다...*

자, 그럼 시작해보자. 시장에 Par 가격을 가지는 각각 다른 만기의 채권들이 존재한다는 가정하에 각 시점별 현물이자율(Spot Rate; Zero Rate)과 선도이자율(Forward Rate)들을 함 계산해보자.*(굳이 Par 가격 가정 안 해도 되지만 안 그러면 YTM 숫자가 좀 더러워질 거다...)*

참고로 아래의 예제 테이블에서 'f_1'은 「6개월 후의 6개월 만기 선도이자율」을, 'f_2'는 「1년 후의 6개월 만기 선도이자율」을, 그리고 'f_3'은 「1년 6개월 후의 6개월 만기 선도이자율」을 각각 뜻한다고 미리 알려둔다.

	만기	주기	원금	이표율	가격	YTM	현물이자율	선도이자율
채권 1	0.5년	반기	$100	4.00%	$100	4.00%	r_1	-
채권 2	1년	반기	$100	5.00%	$100	5.00%	r_2	f_1
채권 3	1.5년	반기	$100	6.00%	$100	6.00%	r_3	f_2
채권 4	2년	반기	$100	7.00%	$100	7.00%	r_4	f_3

※ 모든 이자율은 언제나 그렇듯이 '연(annual)율' 표기이다.

뭐, 첫 번째로 할 일은 쉽다. 「6개월 만기 현물이자율」인 r_1은 바로 다음과 같이 구할 수 있다:

$$\frac{\left(\dfrac{\$4}{2}\right)}{\left(1+\dfrac{r_1}{2}\right)} + \frac{\$100}{\left(1+\dfrac{r_1}{2}\right)} = \$100$$

$$\Rightarrow r_1 = 2 \times \left[\frac{\left(\dfrac{\$4}{2}+\$100\right)}{\$100} - 1 \right] = 4\%$$

지난 편들을 제대로 공부하고 온 독자들은 이미 예상했을 테지만, 채권 1의 YTM 과 똑같다. 그리고 지난 8편에서 강조한 바와 같이 가장 짧은 만기 채권의 현금 흐름이 마치 '무이표채'처럼 만기에만 한 번 발생해야만 부트스트래핑의 첫 단추를 채울 수 있다. 본 예의 채권 1은 해당 조건을 충족한다.

다음으로 1년 만기 현물이자율인 r_2를 구해보자.

$$\frac{\left(\dfrac{\$5}{2}\right)}{\left(1+\dfrac{r_1}{2}\right)} + \frac{\left(\dfrac{\$5}{2}\right)}{\left(1+\dfrac{r_2}{2}\right)^2} + \frac{\$100}{\left(1+\dfrac{r_2}{2}\right)^2} = \$100$$

$$\Rightarrow r_2 = 2 \times \left\{ \left[\frac{\left(\dfrac{\$5}{2}+\$100\right)}{\left(\$100 - \dfrac{\left(\dfrac{\$5}{2}\right)}{\left(1+\dfrac{r_1}{2}\right)}\right)} \right]^{\frac{1}{2}} - 1 \right\} \approx 5.0126\%$$

발동 걸린 김에 「1년 6개월 만기 현물이자율」인 r_3과 「2년 만기 현물이자율」인 r_4 까지 계속해서 달려보자~~~ *가즈아~~~*

$$\frac{\left(\dfrac{\$6}{2}\right)}{\left(1+\dfrac{r_1}{2}\right)} + \frac{\left(\dfrac{\$6}{2}\right)}{\left(1+\dfrac{r_2}{2}\right)^2} + \frac{\left(\dfrac{\$6}{2}\right)}{\left(1+\dfrac{r_3}{2}\right)^3} + \frac{\$100}{\left(1+\dfrac{r_3}{2}\right)^3} = \$100$$

$$\Rightarrow r_3 = 2 \times \left\{ \left[\frac{\left(\dfrac{\$6}{2}+\$100\right)}{\left(\$100 - \dfrac{\left(\dfrac{\$6}{2}\right)}{\left(1+\dfrac{r_1}{2}\right)} - \dfrac{\left(\dfrac{\$6}{2}\right)}{\left(1+\dfrac{r_2}{2}\right)^2}\right)} \right]^{\frac{1}{3}} - 1 \right\} \approx 6.0407\%$$

마지막 r_4까지~ *가즈아~~~*

$$\frac{\left(\dfrac{\$7}{2}\right)}{\left(1+\dfrac{r_1}{2}\right)} + \frac{\left(\dfrac{\$7}{2}\right)}{\left(1+\dfrac{r_2}{2}\right)^2} + \frac{\left(\dfrac{\$7}{2}\right)}{\left(1+\dfrac{r_3}{2}\right)^3} + \frac{\left(\dfrac{\$7}{2}\right)}{\left(1+\dfrac{r_4}{2}\right)^4} + \frac{\$100}{\left(1+\dfrac{r_4}{2}\right)^4} = \$100$$

$$\Rightarrow r_4 = 2 \times \left\{ \left[\frac{\left(\dfrac{\$7}{2} + \$100\right)}{\left(\$100 - \dfrac{\left(\dfrac{\$7}{2}\right)}{\left(1+\dfrac{r_1}{2}\right)} - \dfrac{\left(\dfrac{\$7}{2}\right)}{\left(1+\dfrac{r_2}{2}\right)^2} - \dfrac{\left(\dfrac{\$7}{2}\right)}{\left(1+\dfrac{r_3}{2}\right)^3}\right)} \right]^{\frac{1}{4}} - 1 \right\} \approx 7.0906\%$$

자, 이제 테이블에 현물이자율들을 모두 채워 넣을 수 있겠다:

	만기	주기	원금	이표율	가격	YTM	현물이자율	선도이자율
채권 1	0.5년	반기	$100	4.00%	$100	4.00%	4.0000%	-
채권 2	1년	반기	$100	5.00%	$100	5.00%	5.0126%	f_1
채권 3	1.5년	반기	$100	6.00%	$100	6.00%	6.0407%	f_2
채권 4	2년	반기	$100	7.00%	$100	7.00%	7.0906%	f_3

전에 언급했었지만, 현물이자율은 소수점 뒷자리가 참 깔끔하지 못하다. 그리고 일반적으로 현물이자율은 위와 같이 YTM보다 '살짝' 높은 정도로 계산된다. 이제는 현물이자율에서 선도이자율을 추출해볼 차례다. 먼저 f_1부터 간다:

$$\left(1+\frac{r_1}{2}\right) \times \left(1+\frac{f_1}{2}\right) = \left(1+\frac{r_2}{2}\right)^2$$

$$\Rightarrow f_1 = 2 \times \left[\left(1+\frac{r_2}{2}\right)^2 \times \left(1+\frac{r_1}{2}\right)^{-1} - 1 \right] \approx 6.0302\%$$

기대 가설(Expectations Hypothesis)에 의하면 시장은 「6개월 만기 현물이자율」이 6개월 후 6.03% 수준까지 뛴다고 예상하고 있는 거다. 자, 그럼 이제 필 받았으니(?) f_2, f_3까지 싹 다 구해보자. 가즈아~~~

$$\left(1 + \frac{r_2}{2}\right)^2 \times \left(1 + \frac{f_2}{2}\right) = \left(1 + \frac{r_3}{2}\right)^3$$

$$\Rightarrow f_2 = 2 \times \left[\left(1 + \frac{r_3}{2}\right)^3 \times \left(1 + \frac{r_2}{2}\right)^{-2} - 1\right] \approx 8.1125\%$$

$$\left(1 + \frac{r_3}{2}\right)^3 \times \left(1 + \frac{f_3}{2}\right) = \left(1 + \frac{r_4}{2}\right)^4$$

$$\Rightarrow f_3 = 2 \times \left[\left(1 + \frac{r_4}{2}\right)^4 \times \left(1 + \frac{r_3}{2}\right)^{-3} - 1\right] \approx 10.2724\%$$

고생 많았다. 휴우~ 이제 드디어 테이블 전체를 채울 수 있겠다:

	만기	주기	원금	이표율	가격	YTM	현물이자율	선도이자율
채권 1	0.5년	반기	$100	4.00%	$100	4.00%	4.0000%	-
채권 2	1년	반기	$100	5.00%	$100	5.00%	5.0126%	6.0302%
채권 3	1.5년	반기	$100	6.00%	$100	6.00%	6.0407%	8.1125%
채권 4	2년	반기	$100	7.00%	$100	7.00%	7.0906%	10.2724%

금융 업계에 진출한다고 하더라도 실제로 이런 노가다부트스트래핑 과정을 거쳐 본인이 'Spot Curve', 'Forward Curve'를 직접 도출해야 할 상황과 마주할 일은

없을 거다. 실제 Curve Building 과정은 이보다 더 복잡하고 마켓 리스크(Market Risk) 분야의 퀀트(Quant)들이 달라붙어서 그 프레임워크를 만들어 나가는 것이 일반적이기 때문이다. 위에 보여준 문제 풀이는 그냥 시험 준비용, 개념 이해용일 뿐...

그래도 이런 산수(?)를 직접 해보면 관련 개념들을 본인 것으로 소화 시키는 데 큰 도움이 된다. But, 이제 다시는 안 해도 상관없다. 한 번 해봤음에 의의를 두자. 한 가지 기억해 놓으면 유용한 정보는 보통 우상향하는 수익률 곡선에서 현물이자율은 위 테이블에서처럼 YTM 대비 '살짝만 높게' 계산되고, 선도이자율은 '많이 높게' 계산된다는 점이다. '우상향하는 수익률 곡선에 내재된(implied) 선도이자율은 좀 많이 높다.' 그 점만 기억하자. 모두들 문제 푸느라 고생 많았다...

채권(Bond)

제11편 이름이 멋진 Z 스프레드

이번 편에서는 이름이 왠지 멋지게 생긴 'Z 스프레드(Zero Volatility Spread; Z-spread; ZSPRD)'란 것에 관해 알아볼까 한다. 뭔가 알파벳 Z가 앞에 붙으니 멋진 느낌이다. 별다방카페에서 옆 테이블에 앉은 사람이 "그래서 벤치마크 대비 Z 스프레드가 어떻게 되는데?"라며 전화 통화하는 걸 듣기라도 한다면 꽤 멋진 느낌이 들 수도 있을 테니깐 말이다. 근데 사실 Z 스프레드는 이름은 '간지가 좔좔' 흐르지만 그리 어려운 개념은 아니다. 어렵기로는 이름이 촌스러운 우리 '볼록성(Convexity)' 형아(?)가 훨씬 더 위다. *ㅎㅎㅎ 세상 참 불공평하다. 이름이 촌시러우니 좀 없어 보이지 않는가? ㅎㅎㅎ*

Z 스프레드는 간단히 말하자면 국고채(Treasury Bond) 같은 시장의 벤치마크 수익률 대비 특정 채권의 수익률이 얼마나 더 높은지를 나타내는 여러 지표 중의 하나이다. 일반적으로 어떤 채권이 됐든 무위험(risk free) 자산인 국고채보다는 수익률이 조금이라도 더 높아야 정상일 거다. 또한 만기가 같은 두 개의 채권들 중 어느 한 쪽의 수익률이 더 높다면, 그 채권은 다른 것보다 상대적으로 더 큰 리스크를 지녔다고 해석해야 맞을 것이다. 따라서 Z 스프레드는 채권 시장에 형성된 해당 기업의 신용 리스크를 나타내는 '신용 스프레드(Credit Spread; 크레딧 스프레드)'

로 간주되곤 한다. *참고로 금융에서 '스프레드(Spread)', '베이시스(Basis)', 이런 단어들이 등장하면 어떤 두 가지 값의 '차(difference)'를 의미한다. (물론 전자는 어떤 기초 인덱스에 더해주는 '가산금리'의 성격으로 해석되는 경우가 많지만 말이다... ㅋㅋㅋ 더 헷갈리게 만드는 필자... ㅋㅋㅋ)*

그럼 예를 들어 3년 만기 국고채 수익률(YTM)이 2%이고, 3년 만기 A 기업 채권의 수익률(YTM)이 5%라고 한다면, A 기업 채권의 'Z 스프레드'는 간단히 3%(= 5% - 2%)로 계산되는 걸까? ... ... 아쉽게도 이렇게까지 단순하지는 않다. *미안타. 우리가 태어난 이 세상은 원래 단순한 걸 싫어하나 보다...* 이렇게 단순 계산할 수 있는 스프레드는 조금 덜 멋진 이름의 'T 스프레드(T-spread)' *(= 비슷한 만기의 벤치마크 국고채 수익률과 비교할 경우)* 혹은 'G 스프레드(G-spread)' *(= 보간법(interpolation) 을 통해 도출한 국고채 커브에 기초해 비교 대상의 만기를 정확히 일치시킬 경우)* 로 불리고 있다.

그럼 Z 스프레드는 어떻게 계산하냐고? 서두에서 언급했지만 다행히 크게 어렵진 않다. 설명을 돕기 위해 지난 8편에서 소개했던 '매트릭스'의 바깥세상에서 쓰이는 채권 가격 결정식을 가져와 보자. *'매트릭스 어쩌고'가 뭔 소린지 모르겠으면 지난 현물 이자율 편(= 8편)을 먼저 읽고 오자... ㅎㅎㅎ*

$$채권\ 가격 = \frac{쿠폰}{(1+r_1)^1} + \frac{쿠폰}{(1+r_2)^2} + \frac{쿠폰}{(1+r_3)^3} + \frac{원금}{(1+r_3)^3} \qquad (1)$$

이해를 돕기 위해 매년 쿠폰을 지급하는 단순한 3년 만기 채권을 가정하였다. 지난 8편을 읽은 독자라면, 저 r_1, r_2, r_3이 각 시점의 현금 흐름을 할인할 때 쓰는 현물 이자율(Spot Rate; Zero Rate)이라는 사실을 이미 알고 있을 것이다. 만약 이 r_1, r_2, r_3이 사실은 무위험 이자율인 '국고채의 현물이자율'과 '신용 스프레드'의 합

(sum)이라 가정한다면 위의 식을 아래와 같이 살짝 변형시켜 나타낼 수 있겠다:

$$채권\,가격 = \frac{쿠폰}{(1+(r_{f1}+Spread))^1} + \frac{쿠폰}{(1+(r_{f2}+Spread))^2} \qquad (2)$$

$$+ \frac{쿠폰}{(1+(r_{f3}+Spread))^3} + \frac{원금}{(1+(r_{f3}+Spread))^3}$$

$where$

$r_{fn} = n년\,만기\,국고채\,현물이자율(Spot\,Rate)$
$r_{f1} + Spread = r_1;\; r_{f2} + Spread = r_2;\; r_{f3} + Spread = r_3$

다소 거창하게 보일 수도 있겠지만, 사실 r_1, r_2, r_3을 「무위험 할인율과 신용 스프레드의 합」 형식으로 다시 나타낸 것뿐이다. 눈치 빠른 이들의 눈엔 이미 들어왔겠지만 위의 식에서 'Spread'가 바로 채권의 'Z 스프레드'를 나타낸다. 현금 흐름이 발생하는 각 시점의 국고채 현물이자율(r_{fn})에 얼마를 더해야 해당 채권의 현물이자율(r_n)과 같아지는지를 알아내는 과정이 바로 Z 스프레드를 찾는 과정인 것이다. 한 번 예를 들어볼까?

만기	국고채 현물이자율(Spot Rate)
1년	2%
2년	3%
3년	4%

시장에 국고채 현물이자율이 위의 테이블과 같이 1년은 2%, 2년은 3%, 3년은 4%로 형성되어 있다고 가정해 보자. 그리고 원금 $100, 이표율 5%, 만기 3년, 매년 쿠폰을 지급하는 A 기업 채권의 가격이 현재 Par(= $100)라는 추가 가정을 해 보

자. 이 A 기업 채권의 'Z 스프레드'는 수식 (2)를 써서 다음과 같이 계산될 수 있을 것이다:

$$\$100 = \frac{\$5}{(1+(2\%+Spread))^1} + \frac{\$5}{(1+(3\%+Spread))^2}$$

$$+ \frac{\$5}{(1+(4\%+Spread))^3} + \frac{\$100}{(1+(4\%+Spread))^3}$$

$$\Rightarrow Spread \approx 1.07\%$$

∴ Z 스프레드 = 1.07%. 어떤가, 별로 어렵지 않다. 그냥 현물이자율이 들어간 채권 가격 결정식에서 현물이자율을 국고채 할인율과 신용 스프레드의 합으로 다시 나타낸 것뿐이다. 이 과정을 통해 구해지는 '신용 스프레드'가 바로 'Z 스프레드'다. *초보자들은 여기서 할인율로 YTM이 아니라 Spot Rate을 쓴다는 점만 잊지 않으면 된다. 별로 크게 어려운 건 없다.*

이번 편을 끝내기 전에 한 가지 말해 주고 싶은 점은 위에서는 비교 대상인 벤치마크 금리(= 할인율)를 '국고채 현물이자율'로 줄곧 가정했지만, 실제 금융 업계에서는 국고채 대신 '스왑(Swap)' 커브에서 추출한 현물이자율을 쓴다는 사실이다. *ㅎㅎㅎ ㅎㅎㅎ 이건 또 무슨 '강아지' 소리냐고??? 그렇다, 세상은 참 복잡다단하다. 만만치 않다... ㅠㅠ* 많은 교재들과 학교 등지에서는 'Z 스프레드'가 '무위험(risk free)' 할인율인 국고채 현물이자율에 더하는 값이라 많이들 가르칠 거다. 그러나 실제로 금융 업계에서는 '금리스왑' 혹은 '이자율스왑'이라 불리는 'Interest Rate Swap' 커브에 녹아있는 현물이자율을 [비교 대상인] 벤치마크 금리로 삼아서 Z 스프레드를 계산하고 있다.

파생상품인 금리스왑 관련해서는 17편에서부터 자세히 소개될 예정이다. 파생상품의 '파'자도 아직 모르는 초보자들은 지금은 그냥 한 귀로 듣고 한 귀로 흘리는 게 낫다. 채권만 생각해도 이미 머리가 충분히 아플 대로 아플 테니깐 말이다. *문과생 마인드를 가진 이들도 충분히 파생상품 이해할 수 있으니 미리부터 쫄지는 말자. 필자가 도와주겠다...*

채권(Bond)

제12편 장단기 금리 역전이 뭐냐꼬? I

'장단기 금리 역전 현상'... 이를 다른 말로는 '수익률 곡선 역전 현상(Yield Curve Inversion)' 혹은 '역전된 수익률 곡선(Inverted Yield Curve)'이라고도 하며, 과거 데이터를 살펴보면 이러한 현상은 매번 황소장(Bull Market)의 끝자락 즈음해서 발생하곤 했다. 마치 '테일러 준칙(Taylor Rule)'이란 것이 이제는 경제학자들만의 전유물이 아닌 것처럼, 장단기 금리 역전 현상 또한 대략 15~20년 전만 해도 학계나 금융업계의 일부 전문가들만 신경 쓰던 지표였는데, 이제는 주린이부터 일반인들에게까지 널리 알려진 주요 경기 시그널 중 하나로 자리매김 한 듯하다.

필자가 장단기 금리 역전에 관한 리서치를 처음 접했던 게 대략 2000년대 중반 경이었던 걸로 기억한다. 2005년 당시 미국 국채 및 스왑 금리 커브(= 수익률 곡선)의 플래트닝(Flattening; *평평해짐*) 현상이 하반기 들어 급격히 심화되며 스프레드가 제로 수준으로 근접해 가던 시기였기 때문이다. 아니나 다를까 시간이 더 흘러 2006년 들어서는 본격적으로 장단기 금리의 역전 현상이 관찰되기 시작했었다. *그래도 당시에는 일반인들은 신경도 안 쓰는 지표였다. 나름 전문가라는 이들도 다들 긴가민가 했었고....*

일반적인 경제 상황에서 장단기 금리가 역전되기란 쉬운 일이 아니다. 왜냐하면 돈을 빌리는 기간이 길어지면 길어질수록 차주가 더 많은 프리미엄을 얹어주는 것이 어찌 보면 너무 당연하기 때문이다. 안 그러면 굳이 '장기채'에 투자할 요인이 없지 않나? 일부에서는 이게 차입 기간이 길면 길수록 차주의 부도 위험(Default Risk)이 증가하기 때문이라 설명하기도 하지만, 만약 국고채(Treasury Bond)의 경우만 놓고 본다면 국가의(특히 '미국' 정부의) 부도 확률은 제로(zero)에 가깝기에 이 경우엔 장기채에 붙는 프리미엄과 부도 확률과는 별 상관이 없다 할 수 있겠다. (물론 정치적 요인으로 인한 기술적(technical) 부도 가능성을 아예 배제할 수는 없겠지만...)

부도 확률과는 별개로, 채무의 만기가 길어질수록 투자자가 짊어지는 불확실성이 커질 수밖에 없고, 결과적으로 장기물의 상대적 선호도가 떨어지게 되어 그 보상 차원에서 만기가 긴 채무들의 금리가 높은 게 정상적인 모습이라 할 수 있다. 9편에서 커버했던 '유동성 선호 가설' 혹시 기억 하는교? 따라서 장단기 금리차는 일반적인 경우 양의 값을 띤다. 더군다나 우리가 관찰하는 금리(= 수익률)가 국고채가 아니라 일반 회사채(Corporate Bond) 금리라면 이는 기업의 미래 부도 위험까지 반영하므로 더 큰 리스크 프리미엄 때문에 더더욱 양의 값을 가져야 할 것이다.

이렇게 장단기 금리 스프레드가 양의 값을 가짐이 무척이나 당연해 보임에도 불구하고, 반대로 음의 값을 보이는, 즉, 수익률 곡선이 역전되는 현상들이 역사적으로 가끔씩 관찰되어 왔다. 물론 자주 발생한 건 아니고 가끔씩만... 재밌는 점은 대략 15~20년 전까지만 해도 이런 현상에 관해 큰 관심을 갖는 이들이 많이 없었다는 사실이다. 따라서 필자가 수익률 곡선의 역전 현상에 관한 리서치를 찾아 읽어보기 시작했던 때만 하더라도 이에 관한 연구들이 많이 존재하지 않았던 걸로 기억한다.

여담으로, 슬픈 얘기지만 한국 금융 시장의 많은 '자칭' 전문가들은 2005년 하반기부터 美 수익률 곡선이 급격하게 플래트닝되던 와중에 이름도 괴기한 「콴토 라이보 스프레드 레인지 어크루얼(Quanto Libor Spread Range Accrual)」 같은 정말 어처구니없는 구조화상품 (structured product)들을 팔기 시작했다. (물론 일부 초보자에게는 이 이름이 멋지게 다가 올 수 있겠지만...) 커브의 플래트닝이 발생하는 배경과 그것이 가진 의미, 그리고 역전 (inversion) 현상 발생 리스크 등에 관한 아무런 기반 지식도, 생각도 없이 말이다... 참고로 해당 상품은 미국의 수익률 곡선이 역전되지 않는 데에 베팅(betting)을 하는 '도박성' 상품 이다. 이러한 소위 '구조화상품'들은 국내가 아니라 대부분 글로벌 투자은행들의 해외 지점 에서 설계돼서 서울 지점에 근무하는 한국인 마바라들에게로 넘겨졌고, 이들 서울 지점은 또 다시 국내 증권사 및 은행들과 합작해서 많은 국내 기관들에게 팔아넘겼던 거라 할 수 있다. 내재된 리스크는 이해하지 못하면서 단기적인 이익만을 좇는 금융시장의 참으로 어글리한 모습이 아닐 수 없다.

〈Figure 1: 美 국채 10년 - 3개월 금리 스프레드 추이; 2002-10년〉

Data Source: New York Fed; 美 국채 10년물과 3개월물 금리의 '월 평균값' 기준.

각설하고, 암튼 당시 수익률 곡선 역전에 관한 정보를 찾다가 필자 눈에 띈 괜찮은 리서치가 하나 있었는데, 바로 뉴욕 연방준비은행에서 발간한 Estrella and Mishkin (1996)이라는 짤막한 리서치 페이퍼였다. 이론적인 면보다는 관찰된 팩트를 기술하는 데만 중점을 둔 이 논문은 수익률 곡선이 가진 '향후 경기침체(Recession) 발생 여부에 관한 예측력'을 다른 지표들의 그것과 비교 분석한 결과를 담고 있다. *참고로 해당 논문에서 분석에 사용한 'Probit'이 라는 이름의 확률 모형은 학부 수준의 계량경제학 수업에서도 가르치는 단순 모형이기에 경제학 전공자 혹은 꿈나무들을 위해 부록 섹션에 Estrella and Mishkin (1996)의 방법론에 대한 조금 더 자세한 설명을 기술하였으니 참고 바란다.*

국채 장단기 금리차의 움직임이 그로부터 4분기 후의 경기침체 유무를 얼마나 잘 예측하였는지를 해당 논문이 1960년 1분기부터 1995년 1분기까지의 분기별 시계열 데이터에 기반해 분석한 결과는 다음과 같았다:

〈Table 1: 4분기 후 경기침체 확률〉

경기침체 확률 (%)	장단기 금리차 (%p)
5	1.21
10	0.76
15	0.46
20	0.22
25	0.02
30	-0.17
40	-0.50
50	-0.82
60	-1.13
70	-1.46
80	-1.85
90	-2.40

Source: Estrella and Mishkin (1996)

위의 테이블이 뭘 뜻하는지를 친절하게 말로 풀어서 설명하자면, 어느 한 분기에

미 국채 10년 - 3개월 금리차가 0.02%p(거의 제로) 수준으로 좁혀진다면(= 커브의 완전한 플래트닝), 그로부터 4분기 후에 경제가 경기침체(Recession)에 빠져있을 확률이 무려 25%나 된다는 뜻이다. 만약 커브가 역전되어 장단기 금리차가 -0.50%p까지 벌어진다면 무려 40%의 확률로 그로부터 4분기 뒤에 경제가 침체에 빠져있을 거란 얘기인 거고... 테이블을 위아래로 대충만 훑어봐도 느끼겠지만 금리차가 살짝만 마이너스로 내려와도 4분기 후 경기침체 확률이 30%를 쉽게 넘어 버린다. 저자들은 위의 결과를 포함해 여러 분석들을 검토한 후 다음과 같은 결론을 내렸다:

① 관찰 시점으로부터 2분기 혹은 그보다 먼 미래의 경기침체 예측에 있어 검토한 타 지표들 - NYSE 주가 지수, 미국 상무부의 선행지표들 및 Stock-Watson 지수 - 보다 美 국채의 '장단기 금리차' 변수가 월등한 예측력을 지닌 것으로 분석

② 경기침체 발생 시점과 관련해서는, 장단기 금리차 변수는 '4분기 후' 발생 여부에 관한 예측력이 가장 높은 것으로 분석

③ 1990-91년의 경기침체는 4분기 전 장단기 금리차가 약 25% 남짓의 확률만을 나타냈음에도 발생하였음; (이는 추정되는 확률이 25%만 넘어서도 이를 심각하게 받아들여야 한다는 의미로 해석될 수 있음)

필자가 해당 논문을 처음 읽었을 때만 해도 대략 9년 정도 전에 나온, 그리 오래된 연구는 아니었는데, 오늘날에 돌아보니 벌써 28년(!)이나 지난 '올드'한 페이퍼가 돼버렸다... *허걱... Again, time flies!!!~~~ 필자 늙어브렸다* ㅠㅠ 암튼 2006년 하반기에 본격적으로 수익률 곡선의 역전현상이 발생하며 상기 분석에 따르면 대략 2007년 하반기를 즈음해서 경기침체가 시작할 것임을 예상할 수 있었는데... 그러

나 당시 이 경고를 심각하게 받아들이는 사람들은 전문가들을 포함해서 소수에 불과했었다...

- 부록 찍고 다음 편에서 계속 -

※ 참고: 장단기 금리 스프레드를 얘기할 때 업계에서는 '3개월/10년 스프레드'처럼 단기/장기 순서로 표시하는 것이 일반적이다. 하지만 필자는 스프레드의 '빼기' 공식에 따라 '10년 - 3개월'의 형식으로 표현함을 알린다. (필자의 똥고집... 쿨럭.)

Reference

Estrella, Arturo, and Frederic S. Mishkin. 1996. "The Yield Curve as a Predictor of U.S. Recessions." Federal Reserve Bank of New York *Current Issues in Economics and Finance* 2, no. 7 (June).

Estrella and Mishkin (1996)이 분석에 사용한 'Probit' 모형은 「y= 0 or 1」의 경우와 같이 종속변수(dependent variable)가 이항(binary)변수일 경우(즉, 실제 변수는 관찰되지 않고 이런 이항변수만 관찰되는 경우) 많이 사용되는 단순 확률 모형(probability model)들 중 하나이며, 아래와 같은 형태를 가진다.

먼저 직접적으로 관찰되지 않는 잠재변수(latent variable) 'y*'에 대해 다음과 같이 가정한다면:

$$y^*{}_{t+12} = \alpha + \beta x_t + u_t \tag{1}$$

$$y_{t+12} = \begin{cases} 1, \text{if } y^*{}_{t+12} > 0 \\ 0, \text{if } y^*{}_{t+12} \leq 0 \end{cases}$$

$where$

$u_t \sim Normal(0,1)$
$x_t = t\,시점의\,미국채\,10년 - 3개월\,금리\,스프레드$
$y_{t+12} = t+12개월\,시점의\,경기\,침체\,여부\,(Yes = 1; No = 0)$

※ *Estrella and Mishkin (1996)은 분기별 데이터를 분석에 사용했지만, 후속 연구인 Estrella and Trubin (2006)은 월별 데이터에 기초한 모형을 사용했기에 위에서도 더 근래의 방법론을 따라 월별 데이터에 기반한 모형으로 기술하였다.*

직접 관찰되는 이항변수인 'y'의 조건부 확률 분포(conditional probability distribution)를 다음과 같이 나타낼 수 있다:

$$P(y_{t+12} = 1 | x_t) = P(y^*_{t+12} > 0 | x_t) \tag{2}$$
$$= P(\alpha + \beta x_t + u_t > 0 | x_t)$$
$$= P(u_t > -(\alpha + \beta x_t) | x_t)$$
$$- 1 - \Phi(-(\alpha + \beta x_t))$$
$$= \Phi(\alpha + \beta x_t)$$

$where$

$\Phi(.) = $ 표준 정규 누적 분포 함수
$\quad (Standard\ Normal\ Cumulative\ Distribution\ Function)$
$x_t = t$ 시점의 미국채 10년 $-$ 3개월 금리 스프레드
$y_{t+12} = t + 12$개월 시점의 경기침체 여부 $(Yes = 1; No = 0)$

이와 같은 Probit 모형의 추정(estimation)을 통해 특정 시점의 장단기 금리차가 나타내는 12개월 후의 경기침체 확률을 산출할 수 있다. 이는 (추정된 계수 값들을 가지고) 엑셀에서도 다음과 같은 간단한 함수/수식을 사용해 쉽게 계산 가능하다:

=NORMSDIST($\alpha + \beta$*장단기 금리차)

채권(Bond)

제13편 장단기 금리 역전이 뭐냐꼬? II

지난 편에서 어디까지 얘기했더라... *필자가 책 쓰다 치매에? ㅎㄷㄷ... 다행히 그건 아니고 태생적으로 기억력만 좀 나쁠 뿐... 쿨럭. (-_-;)* 암튼 美 국채의 수익률 곡선은 2005년 하반기부터 플래트닝이 심화되며 2006년 1분기에는 「10년물 - 3개월물」의 금리차가 제로에 가깝게 붙어버리고 만다. 그러다 하반기에는 본격적으로 마이너스로 전환되었고...

이러한 상황이 뭘 의미한다고 지난 편에서 입이 닳도록 얘기했더라? 바로 향후 *(평균적으로 대략 1년 정도 후에)* 경제가 침체 상황에 있을 것임을 의미한다고 했었다. 조금 더 조심스레 얘기하자면 그렇게 될 '확률'이 확연히 상승한 형국이라 할 수 있겠다. 뉴욕 연은(Fed)의 이코노미스트였던 에스트렐라(Estrella)는 당시 수익률 곡선이 뒤집히던 바로 그 시점(= 2006년 여름)에 후속 연구인 Estrella and Trubin (2006)을 발표하게 된다.

Estrella and Trubin (2006)은 지난 편에서 소개한 1996년도 리서치의 업데이트 버전이었다. 2001년 발생했던 경기침체 데이터까지 포함해 이번엔 월별(monthly) 데이터를 사용, 수익률 곡선의 역전 현상이 가지는 함의에 대해 다시 한번 분석한

결과, 다음의 주요 결론들을 도출해냈다:

① 나른 장단기 금리 컴비네이션(예: 10년 국채 금리 - 2년 국채 금리, etc.)의 사용 또한 유사한 결과로 이어질 것이나, 1996년 연구에서 사용한 미 국채 「10년 - 3개월」 금리 스프레드가 가장 정확한 경기침체 예측력을 가지는 것으로 분석

② 1968년 이후의 시계열 데이터에 기반해 분석한 결과, 미국에서 발생한 모든 경기침체 발생 전 국채 「10년 - 3개월」 스프레드가 적어도 3개월 이상 역전되는 현상을 보였음 (월평균(Monthly Average) 데이터 기준)

③ 장단기 금리의 역전 현상은 모두 기준 금리 인상기(= 긴축 사이클; 단기 금리 상승기)에 발생했지만, 장기(=10년) 금리의 경우엔 상승한 적, 하락한 적, 두 가지 경우 모두 관찰; 이는 장기 금리의 오르고 내림은 중요치 않고 역전 현상 발생 그 자체가 중요하다는 의미로 해석

이렇듯 논문 몇 개만 읽어봐도 장단기 금리가 역전되면 앞으로 안 좋은 상황이 벌어질 수 있음을 충분히 인지할 수 있었고,*(필자만 읽은 건 아니었을 텐데 말여...)* 미리 위기 상황에 대비했어야 함에도 불구, 2000년대 중반 당시 이런 경고를 알아차리거나 혹은 새겨들은 이들은 소수였다고 해도 과언이 아니다. 정말 신기하게도 과거를 돌아보면 시장은 항상 "No, this time is different!(= 아냐, 이번엔 달라~)"를 외쳤던 것이다. 2006년과 2007년도 당시의 이러한 안일한 분위기를 보여주는 짤막한 과거 기사 제목들을 아래에 몇 개만 소개해 본다:

"美장단기금리 역전, 경기침체 설득력 떨어져"

"美 경기둔화 우려는 시기상조"

버냉키, "장단기금리 역전 경기 둔화 신호 아니다"

ㅎㄷㄷ... 연준 의장 벤 버냉키까지 아니라고 했으니 말 다 한 거 아닌가? 근데 또 저 자리에 있는 사람이 "장단기 금리 역전 현상은 경기침체 신호가 맞다! 대비하라!"고 고래고래 소리를 질러댄다면 시장을 패닉 상황으로 몰고 갈 수도 있기에 저럴 수밖에 없었을 거라는 생각도 들긴 하지만... 저렇게 아예 신호 자체를 무시해버리는 발언은 정말 무책임한 것이었다고 본다. *적어도 완전히 무시가 아니라 "면밀히 관찰해 나가겠다"는 정도의 스탠스는 보였어야제...* 참고로 위의 발언은 금융위기 전 버냉키가 했던 많은 오판(misjudgment)들 중 하나로 꼽히고 있다.

그런데 어떻게 3개월이라는 짧은 만기의 국채 금리가 10년이라는 어마무시하게 긴 *(= 강산도 바뀐다는)* 장기물 금리보다 높아질 수 있을까? 장기물에 붙는 리스크 프리미엄은 안드로메다로 날아가 버린 건가? *필자의 기억력처럼?* 이를 이해하기 위해서는 수익률 곡선에 내재된 선도이자율(Forward Rate)이란 개념에 관한 이해가 선행되어야 할 거다.

지난 9편에서 이미 설명한 바 있지만, 수익률 곡선은 시장의 미래 금리 움직임에 대한 기대(expectation)를 반영한다고 볼 수 있다. 물론 미래에 기대되는 금리 수준뿐 아니라 장기물에 붙는 유동성 프리미엄까지 내포하고 있다는 가정이 더 현실적일 것이다. 수익률 곡선의 역전 현상은 향후 시장 금리가 전반적으로 하락하고, 그러한 하락이 장기물에 붙는 프리미엄 수준을 능가해 발생할 거라 예상되는 경우, 즉, 시장이 향후의 심각한 '경기 둔화' 혹은 '침체'를 예상할 때 발생할 수 있다.

Estrella and Trubin (2006)이 이미 정리해 줬듯이, 그러한 현상은 기준 금리의 인상 시기(= 긴축 사이클)에 발생하며, 경기 과열과 그에 따른 인플레이션을 잡기 위해 기준 금리가 많이 오른 상태에서 더 이상의 고성장이 힘들다 판단될 때(= 호황기가 이제 정점에 달했다고 판단될 때), 장기 금리가 상대적으로 덜 오르거나 아니면 단기 금리와는 반대로 하락하면서 발생하곤 한다.

이렇게 중요한 팩트와 분석 결과를 친절하게 제공하는 리서치도 존재했었고, 경기 침체 가능성에 관해 충분히 우려할만한 상황이었음에도 당시의 금융 시장은 [불과 얼마 전인 2021년에도 목격됐던] 극도의 '유포리아(Euphoria)'와 매우 닮아 있었던 관계로 비관론에 귀를 기울이는 이들은 상대적으로 소수였다. 비즈니스 사이클의 피크에는 원래 황소(bull)들만이 득실거리지 않나... *개정판 막바지 작업 중인 2024년 1월 현재에도 왠지 비슷한 느낌이 또다시 들려... 쿨, 쿨럭.*

경고음을 새겨들은 사람들은 많지 않았지만 2006년 하반기의 금리 역전 현상이 가리켰던 대로 2007년 말부터 경기침체는 시작됐고, 2008년엔 굴지의 투자은행 리먼브라더스(Lehman Brothers)마저 파산하며 역대급 리세션으로 자리매김하였다. '대공황(Great Depression)'에 견줄만한 충격이었다는 의미에서 당시의 리세션은 '대침체기(Great Recession)'라 불리며, 또한 세계 경제에 미친 큰 여파 때문에 '글로벌 금융위기(Global Financial Crisis)' 혹은 'GFC'라는 약어로 불리기도 한다.

뉴욕 연은(Fed)은 수익률 곡선 역전 현상의 지속적인 관찰을 위한 웹사이트를 개설, 운영해오는 중이다.(https://www.newyorkfed.org/research/capital_markets/ycfaq#/) 이 사이트를 통해 뉴욕 연은은 Estrella and Trubin (2006)에서 사용된 단순한 'Probit' 확률 모형에 기초한 12개월 후의 경기침체 확률을 매달 계산해서 업데이트하고 있다. 뭐랄까, 수익률 곡선과 리세션 징후의 '망루(watchtower)' 역할을 하는 중이라고나 할까... 암튼 뉴욕 연은이 만든 이러한 웹사이트의 존재는 수익률 곡선의 역전 현상이 아무 의미 없는 시그널로 치부돼서는 안 된다는 주장들을 뒷받침하고 있다.

〈Figure 1: (12개월 전에 추정한) 경기침체 확률 추이와 실제 발생 여부〉

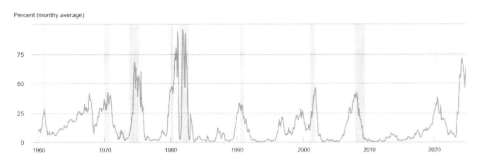

Source: New York Fed; As of Jan 2024.

Note 1: 경기침체 발생 기간은 회색으로 칠한 기간

Note 2: 1959년~2009년까지 월별 데이터에 기초한 Probit 모형 계수 추정값: α= -0.5333 β= -0.6330

위의 Figure 1은 대략 1960년대 후반부터 모든 경기침체의 시기 전에 장단기 금리가 역전되면서 경기침체 확률이 급등했던 일관된 모습을 보여주고 있다. 아래는 이에 더해서 뉴욕 연은이 추정한 모형의 계수 값들에 기초해 필자가 직접 계산한 미 국채 「10년 - 3개월」 스프레드 수준별 (약 1년 후) 경기침체 확률을 보여주는 테이블이다.

Table 1은 지난 편에서 맛보기로 보여줬던 1996년도 오리지널 페이퍼의 계산 값들보다 장단기 금리차의 예측력이 0 근처에서 조금 더 강해졌음을 보여준다. 뉴욕 연은의 추정에 의하면 장단기 금리차가 살짝만 마이너스로 가도 1년 뒤 경제가 리세션에 있을 확률이 무려 30%를 넘어버리니깐... 이렇게나 강력한 시그널을 2006년 당시 거의 모든 이가 무시했었다니, 오늘날 생각하면 참 어이없는 일이다.

〈Table 1: 12개월 후 경기침체 확률 계산 값〉

경기침체 확률 (%)	장단기 금리차 (%p)
10	1.18
20	0.49
30	-0.01
40	-0.44
50	-0.84
60	-1.24
70	-1.67
80	-2.17
90	-2.87

※ 경기침체 확률 = NORMSDIST(-0.5333-0.6330*장단기 금리차)

그런데 말이다,,, 그로부터 무려 13년이나 지난 2019년에 미 국채 커브가 또 한 번 뒤집어졌을 땐 어땠을 것 같나? 당시 필자가 바라본 금융 시장은 예전보다는 훨 씬 더 두려움에 떨었다는 사실 하나만은 확실하다. 'R의 공포'니 어쩌니 하며 시장 이 좀 많이 흔들거렸으니깐. 하지만 동시에 많은 전문가들은 이번에도 역시 수익률 곡선이 나타내는 바를 무시하고 부정했었다:

"현재의 장단기금리 역전, 경기침체 신호로 보기 어렵다"
이주열 "美 장단기 금리 역전됐다고 침체온다 단정 못해"
옐런 前 연준의장 "장단기 금리역전, 경기침체 전조 아냐"

하지만 2020년 초 경기침체는 어김없이 찾아왔고, 코로나 바이러스 확산이라는 팬 데믹 사태와 맞물려 시장의 단기적 붕괴까지 불러일으켰었다. 물론 연준의 유례없 는 무제한 양적완화 실시와 함께 경제와 금융 시장이 좀비처럼 살아서 벌떡 일어나 는 '매우 과도하고 이상한' 회복세가 뒤를 이었지만 말이다. 암튼 이쯤 되면 장단기 금리 역전 현상이 또 발생하더라도 "This time is different!"라는 외침이 언제나 처럼 자연스레 다시 들려올 거라는 생각이 이상한 건 아니겠다.

아무튼 역사적으로 관찰된 명확한 팩트는 1968년 이후로 발생한 미국의 모든 경기침체 전에 수익률 곡선의 역전 현상이 발생했다는 점이다. 1970년도 리세션을 포함, 2020년의 코로나 사태까지 총 8번의 리세션이 있었는데, 한결같이 그로부터 약 6개월~1년 반 전 시점에 수익률 곡선의 역전 현상이 관찰되었다.

근데 금리차가 마이너스가 된 지 '정확히' 얼마 후에 각 경기침체가 찾아왔을까? 평균적으론 1년 정도 걸렸지만, 당연히 '케바케(case by case)'였다 할 수 있다. 어떨 땐 금세 왔고, 어떨 땐 좀 더 뜸을 들이다 찾아왔다. 실제 타이밍이 궁금한 이들을 위해 필자가 아래에 정리해 준다:

〈Table 2: 미 국채 10년-3개월 금리의 첫 역전 후 경기침체 진입까지 걸린 시간〉

경기침체 시기	첫 금리 역전 후 경기침체 진입까지 걸린 시간 (개월)
1970 리세션	13
1973-75 리세션	6
1980 리세션	15
1981-82 리세션	10
1990-91 리세션	14
2001 리세션	9
2008-09 리세션	17
2020 리세션	9

Data Source: New York Fed

필자가 이번 편을 마무리하기 전에 짚어주고 싶은 점 또 한 가지는, 2020년-21년에 연준이 실행했던 것과 같은 극도로 완화적인 통화정책하에서 리세션이 도래하기 전에 수익률 곡선의 역전 현상이 과거와 같은 형태로 제때 발생할 수 있을지에 관한 것이다. 아니, 지금까지 항상 잘 발생해왔는데, 당연히 리세션 전에 발생하겠지 왜 묻냐고? 이 질문을 던질 수밖에 없는 이유가, 코로나 사태 이후 연준의 유례없는 돈풀기 행위, 그리고 경기 과열과는 상관없이 단기 금리를 초저 수준에 묶어놓는 말도 안 되는 상태가 너무 오래 지속되다 보니 장기 금리가 3개월 같은 단기 금리보다 더 낮게 내려오기가 거의 불가능한 상황에 있었기 때문이다.

만약 단기 금리가 제로 수준이라면 장기 금리는 아예 마이너스로 가야 역전이 발생하는 거니깐, 이렇게 통화 정책이 단기 금리를 과하게, 인위적으로 억눌렀던 2020년부터 2022년 초반까지의 상황에서는 과거와 같은 금리 역전 현상이 관찰되기가 쉽지 않았음은 두말하면 잔소리겠다. *(물론 양적완화(QE)로 인해 장기물 금리도 같이 눌렸긴 하지만...)* 따라서 이런 비정상적인 상황하에서는 과거와 같은 수익률 곡선의 역전 현상 없이도 '사실상의' 경기침체가 발생할 수 있지 않을까 하는 의문이 자연스레 들 수밖에 없는 것이다.

아니나 다를까... 비록 전미경제연구소(NBER)의 공식적인 리세션 선언은 피해갔지만, 미국 경제는 지난 2022년 1분기와 2분기 연속 마이너스 성장을 기록했다. 일각에서는 이를 '기술적(technical)' 리세션으로 간주했고, 유명 거시경제학자인 로버트 배로(Robert Barro) 교수 또한 나서서 리세션을 리세션이라 부르지 않는 당시 상황에 대한 비판을 담은 기고문을 쓰기도 했었다. 따라서 2022년 상반기를 '사실상의(de facto)' 리세션으로 간주한다면, 이는 10년 – 3개월 국채 금리 스프레드의 역전 현상이라는 전조 증상 없이 발생한 현대의 첫 사례라 할 수 있을 것이다. 위에서 필자가 언급했듯이 연준이 너무 오랜 기간 과도하게 단기 금리를 제로 수준으로 억눌렀던 것을 그 주요 이유로 들 수 있겠다.

그리고 통화정책의 정상화가 이루어진 이후 시점인 2022년 11월경부터 미 국채 수익률 곡선의 10년 - 3개월 구간이 본격적으로 또다시 역전되기 시작하였음을 볼 수 있다. 만약 이것이 Estrella and Trubin (2006) 모델의 예측대로 앞으로 곧 도래할 경기침체를 의미하는 거라면, 미국은 2020~24(5)년의 짧은 기간 동안 무려 3번의 '사실상의' 리세션을 겪게 되는 셈이다. 물론 모델상의 확률이 100%는 아니고 그 타이밍 또한 정확하게 예측하는 건 불가능의 영역이지만, 향후 글로벌 경제가 현재 유포리아적 사고에 빠져있는 시장의 예측과는 다른 흐름을 보일 가능성을 절대 간과해서는 안 될 것이다.

References

Estrella, Arturo, and Frederic S. Mishkin. 1996. "The Yield Curve as a Predictor of U.S. Recessions." Federal Reserve Bank of New York *Current Issues in Economics and Finance* 2, no. 7 (June).

Estrella, Arturo, and Mary R. Trubin. 2006. "The Yield Curve as a Leading Indicator: Some Practical Issues." Federal Reserve Bank of New York *Current Issues in Economics and Finance* 12, no. 5 (July/August).

알쓸 금융 상식

제14편 남용되는 단어, 레버리지

이번 「알쓸 금융 상식」 편들은 13편까지 쉬지 않고 이어진 어려운 지식들의 홍수로 인해 머리가 깨져버릴 것만 같은 초보자들을 위해 준비한 잠시 쉬어가라는 의미의 챕터들이다. 여기서 '알쓸'은 '알아두면 쓸데없는'의 뜻이 아니라, 반대로 '알아두면 쓸모 있는'의 뜻이니 초보자들에겐 꽤 유익한 지식들이 될 거라 감히 장담해 본다. *아니래도 책임은 못... (-_-;) 쿨럭...*

금융 분야에서 이상하리만큼 자주 쓰이고 남용되는 단어가 몇 개 있다. 그중 하나가 바로 '레버리지(Leverage)'다. 인터넷에서 검색하면 이 단어의 사전적 의미를 자세히 설명을 해주는 사이트들은 많이 찾을 수 있지만 이 단어가 좀 '멋있는(?)' 관계로 여기저기 이상하리만치 남발되다 보니 초보자에게는 그 사용처가 무척이나 헷갈리게 다가올 수 있다. *사실 필자도 옛날엔 헷갈렸었다 ㅠㅠ*

그래서 이번 편에서는 '레버리지'가 금융 분야에서 어떤 때 어떤 식으로 쓰이는 단어인지를 시원하게 알려주려 한다. 어느 엄한 인터넷 사이트에서 이 단어의 정의를 읽어보다가 무슨 '지렛대 효과', '자기자본 이익률', '손익 확대 효과' 등등 이런 어려운 용어들 때문에 헷갈리고 머리 아파할 필요 없다. 일단 '투자'에 있어서 이 단

어의 뜻과 용법을 이해하려면 그냥 다음 문장만 머리에 새기면 끝난다:

"투자(Investing)에 있어 '레버리지'란 단어가 쓰이면 '자기 돈'을 필요보다 '적게 넣어' 투자하는 경우라고 간단히 생각하면 된다."

– Dr. HikiEconomist –

ㅎㅎㅎ 뭐, 거창할 거 하나 없다. 이해하기 참 쉽다. ㅎㅎㅎ 위에 적힌 필자의 명언 조언처럼 투자에 있어 실제 필요한 것보다 '자기 돈'이 적게 들어가는 경우는 대충 다음의 세 가지가 되겠다:

① 남의 돈을 '차입'해서 투자하는 경우

예를 들어 1억 원어치 자산을 매입하는 데 자기 돈을 5천만 원만 넣고 나머지 5천만 원은 은행에서 차입하든 보험사에서 차입하든 친한 친구에게서 차입하든 어쨌든 빌려서 하게 되면 자기 돈이 실제 필요한 1억보다 적게 들어가므로 '레버리지를 일으킨다'라고 할 수 있다.

이런 이유로 '레버리지'는 '차입'의 동의어로 투자 이외의 상황에서도 자주 쓰인다. 예를 들어 기업이 차입을 너무 많이 한 경우 "저 부실기업은 '레버리지'를 너무 많이 일으켰다"와 같은 표현을 종종 들을 수 있을 거다. 실제로 '레버리지 비율 (Leverage Ratio)'이라는 용어는 기업의 부채성 비율을 지칭하며, '유동성 비율 (Liquidity Ratio)'과 함께 기업의 재무 위험을 측정하는 주요 지표로 널리 쓰이고 있다.

② '증거금'만 넣고 투자가 가능한 경우

내표적으로 주식선물, 통화선물 같은 것들을 들 수 있겠다. 그때그때 필요 증거금 (Margin)만 넣어두면 적은 돈으로 몇 배 크기의 투자가 가능하기 때문이다. 예를 들어 증거금률이 10%로 규정된 지수선물(Index Futures)상품에 투자할 경우 실제 1억 원어치를 매수하는 데 증권사에 1천만 원만 맡기면 되는 식이다. 만약 다음날 지수가 1% 상승할 경우 투자자는 맡긴 1천만 원의 1%가 아닌 실제 거래금액 1억 원의 1%, 즉 백만 원의 수익을 얻을 수 있다. 여기서 이 1억 원을 '레버리지된 노출금액(Leveraged Exposure)'이라 표현하곤 한다.(= 이는 1억 원 전체를 잃을 수 있는 리스크에 '노출'됐다는 뜻이다.) 사실 'Exposure'는 '노출금액'이라 번역 안 하고 그냥 영어 발음 그대로 '익스포저'라 쓰는 경우가 많으니 주의하자.

③ 기타의 경우

예를 들어 '전세를 끼고' 집을 사는 경우를 들 수 있겠다. 이 경우 은행에서 실제 차입을 하거나 세입자에게 차용증을 쓰고 돈을 직접 빌리지는 않지만 어쨌든 본인 돈이 적게 들어가는 투자이므로 '레버리지된 투자(Leveraged Investment)'의 범주에 들어간다.

또 생각해 볼 수 있는 예로는 옵션(Option) 매수 거래가 있을 수 있겠다. 비록 아무런 차입 행위 없이 옵션 프리미엄(Premium; 옵션의 가격)을 다 자기 돈으로 내고 매수하는 경우라도 현물 직접 투자의 경우 대비해서는 자본이 적게 든다는 이유로(?) 이 또한 넓은 의미에서의 '레버리지된 투자'로 간주하고 있다.

참고로 영국, 호주 등지에서는 레버리지를 '기어링(Gearing)'이라 표현하기도 한다.

또한 레버리지(Leverage)를 그냥 '레버(Lever)'라는 단어로 짧게 표현하는 경우도 많이 찾아볼 수 있다. 헷갈리겠지만 다 같은 뜻으로 보면 된다.

끝내기 전에 마지막으로 레버리지를 '동사(verb)'의 형태로 쓰면서 이 상황 저 상황에 남용하는 사람들도 심심치 않게 있다고 말해주고 싶다. 보통 '실속이 없고 말만 번지르르하게 하는 사람'이 이럴 가능성이 큰데, *(실제로 필자 경험상 그런 사람들이 특히 이 단어를 여기저기 남용하더라고... ㅎㅎㅎ)* 이 경우 레버리지라는 단어를 '사용하다(use)', '활용하다(utilize)'의 동의어처럼 막 쓰는 걸 들을 수 있을 거다. 멋있지도 않은데 사람 정말 헷갈리게도 말이다. 암튼 삶에서 이런 사람들 만나면 조심하는 것도 나쁘지 않다고 말해주고 싶다. *하지만 당연히 그중에는 제대로 된 사람도 있을 거다. 인생은 복불복이니껜.*

여기까지 읽었으면 당신도 이제 '레버리지'에 관해서는 반(半)전문가라고 감히 칭할 수 있겠다. 하지만 그렇다고 남용하진 말자! ㅎㅎㅎ

알쓸 금융 상식

제15편 명목금액에 관한 소고

이번 편에서는 금융 분야에서 '레버리지'라는 단어만큼이나 자주 쓰이는, 그리고 처음 접하는 초보자는 그 뜻이 매우 헷갈릴 수밖에 없는 용어인 '명목금액(Notional Amount)'이란 것에 대해 알아볼까 한다.

'명목금액'을 인터넷에 검색해보면 나오는 설명들이 정말 중구난방임을 볼 수 있다. 그래서 처음에 나오는 검색 결과 몇 개만 가지고는 도대체 뭔 뜻인지 알 수가 없을 것이다. 그래도 인내심을 가지고 인터넷을 좀 더 뒤지다보면 아래와 같이 '공신력 있는' 정부기관인 통계청 사이트의 질문과 답변 내용을 찾을 수 있다:

질문: 명목과 실질은 무엇을 의미하나요?

답변: 명목금액(당해년가격)은 조사시점의 금액으로 소득이나 지출의 구성비 분석 등을 위해 활용합니다. 실질금액은 가격을 기준년으로 고정시키고 물가변동의 영향을 제거하여 물량의 변동을 분석하기 위해 활용하는 금액으로 시계열 분석 등을 위해 활용합니다.

역시 통계청 울트라캡숑! 매우 명확해 보인다! 명목 GDP, 실질 GDP라는 표현 아마 다들 들어봤을 거다. 그럼 이제 "'명목금액'은 인플레이션을 감안해서 조정하기 전의 금액이구나~"라면서 쉽게 이해했다고 '야호'를 외치며 박수를 치면 될까나? ㅎㅎㅎ 미안하지만 아직은 이르다... 우리가 사는 이 세상은 항상 놀라움과 *쓸데없는* 복잡함의 연속이기 때문이다. 호기심에 '명목 GDP'를 영어로 뭐라 하는지 찾아보면 'Nominal GDP'로 나옴을 볼 수 있을 거다... 허걱... '명목금액'의 'Notional'이 아니네?... *이건 뭥미? 나는 누규?*

에고... 그렇다. *세상 참 복잡하다...* 'Nominal Amount', 'Notional Amount' 두 가지 단어 모두 '명목금액'으로 번역된다. 그리고 경우에 따라 서로 동의어처럼 쓰이기도 한다. 하지만 '인플레이션을 감안하기 전의 금액'의 뜻일 때는 'Notional'이 아니라 'Nominal'을 사용한다는 사실을 잊지 말자. 통계청의 설명은 맞다. 하지만 조금은 다른 영단어에 대한 설명인 것이다. 참고로 인플레이션 조정(차감) 후 계산되는 '실질금리(Real Interest Rate)'와 대비되는 개념인 '명목금리(Nominal Interest Rate)'의 경우 또한 마찬가지다. 'Notional'이 아니라 'Nominal'이라 표기해야 맞다.

'Notional'에 대한 어학 사전의 정의를 찾아보면 정말 더욱더 안개 속으로 빠져드는 느낌일 거다:

Notional (형용사)
: 개념상의, 관념(추상)적인

ㅎㅎㅎ ㅎㅎㅎ 개념상의, 관념적인, 추상적인 금액이라니... 혼자서는 도저히 알아

낼 길이 없다... 그래서 필자가 이번 편을 준비한 거겠다... 필자만 믿고 따라와 보시라.

금융 분야에서 '명목금액'이란 일반적으로 이자나 상품 가격 산출의 기준이 되는 '계약 금액'을 가리킨다. 금융상품이나 거래의 종류에 따라 조금씩 그 개념이 헷갈릴 수 있기에 아래에 몇 가지 예를 들어서 설명하겠다.

① 채권(Bond)의 경우

채권에 있어서 '명목금액'이란 채권의 가격(Price)과 상관없이 채권의 '원금(Principal)'을 나타낸다. 1억 원의 원금을 가지는 채권이 있다고 치자. 이 채권의 가격이 9천만 원, 아니 5천만 원으로 떨어진다 해도 이와는 상관없이 이 채권의 이표(Coupon)는 원금 1억 원에 대해서 계속 산출될 것이다. 가령 이표가 연 10%라면 채권 보유자는 매년 1천만 원의 이자를 수취할 것이다. 이 변하지 않는 금액 1억 원이 바로 이 채권의 '명목금액'이다. (대출(Loan)의 경우도 이와 마찬가지라 생각하면 된다.)

② 선물(Futures)의 경우

선물에 있어서 '명목금액'이란 담보 목적으로 제공해야 하는 증거금(Margin)이 아닌 레버리지(Leverage)까지 포함한 실제 거래금액(규모)을 나타낸다. 예를 들어 WTI 원유 선물이 배럴(barrel)당 $50에 거래되고 계약 단위가 1,000배럴이라면 한 계약의 '명목금액'은 $50,000이 되겠다. 만약 증거금률이 10%라면 1 계약을 위해서 투자자는 명목금액의 10%에 해당하는 총 $5,000 상당의 증거금을 브로커(중개) 기관에 맡겨야 할 것이다.

③ 옵션(Option)의 경우

원·달러 통화옵션의 예를 들어 보자. 백만 달러를 특정 시점에 매입(buy)하고 동시에 원화를 매도(sell)할 수 있는 USD 콜옵션(Call Option)을 거래할 경우, 만약 이 옵션의 행사가격(Strike Price)이 달러당 1,200원이라면 옵션의 달러 명목금액을 USD 1 million (= 백만 달러), 원화 명목금액을 KRW 1.2 billion (= 12억 원)으로 각각 표시할 수 있겠다. 이렇게 통화옵션은 그 구조적 특성상 명목금액이 두 개의 통화로 각각 표시되는 것이 일반적이다. 그리고 이 콜옵션의 가격(= 옵션 프리미엄)은 '(달러) 명목금액의 X%' 형식으로 쿼트(quote; 호가 제공)되곤 한다.

④ 금리스왑(Interest Rate Swap)의 경우

고정금리와 변동금리를 교환하는 거래인 '금리스왑(Interest Rate Swap; IRS)'의 경우도 그 이자 금액 계산의 기준이 되는 금액을 '명목금액'이라 칭한다. 이는 ①번에서 설명한 채권의 원금 개념과 크게 다를 바 없다. 또한 서로 다른 통화끼리 금리를 교환하는 '통화스왑(Cross Currency Swap; CCS or CRS)'의 경우엔 ③번의 통화옵션의 경우와 마찬가지로 이자 금액 계산의 기준이 되는 명목금액을 각각의 통화별로 표시하게 된다.

추가적으로 알려주고 싶은 점은 위의 ①부터 ④번까지의 모든 경우들에서 명목금액을 지칭할 때 '명목 GDP'나 '명목금리'의 예에서와는 달리 'Notional'과 'Nominal' 둘 중 어떤 단어로 표현해도 상관없이 괜찮다는 사실이다. 금융상품의 경우에는 'Notional Amount'와 'Nominal Amount'를 혼용하여 쓰고 있다는 얘기다. 그리고 비록 형용사이지만 명사처럼 쓰이는 경우도 많다. 즉, 'Amount'를

빼고 그냥 '노셔널(Notional)' 혹은 '노미널(Nominal)'이라고 간단히 지칭하는 경우를 꽤 많이 찾아볼 수 있다.

지난 편에 언급했듯이 '레버리지(Leverage)'의 경우만 보아도 어떤 때는 '기이링(Gearing)', 어떤 때는 '레버(Lever)'라 표현하기도 하고, 또 어떤 때는 '차입(borrowing)'의 동의어로, 어떤 때는 차입과는 전혀 무관한 상황에서 쓰이기도 하는, 정말 사람 복장 터지게 하는 단어인데, 이 '명목금액'이란 단어도 만만치 않은 듯하다.

어떤 때는 '노셔널'이라고 하면 안 되고 어떤 때는 '노미널', '노셔널', 둘 다 혼용해서 써도 된다니... 이런 소소한 걸 자세히 가르쳐 주는 사람도 주위에 아무도 없을 것이고 인터넷을 아무리 뒤져도 속 시원히 알 수 없는 지식임은 두말할 나위 없다. 그래서 필자가 알려 줬다. 너무 쓸데없이 복잡해서 참으로 살기 힘든 세상이다.

※ 'Amount'라는 단어는 사실 '수량(quantity)'을 의미하기도 하기 때문에 일부의 경우에서는 'Notional Amount'가 파생상품 등을 구성하는 기초자산의 '수량'을 의미하는 때도 있다. 하지만 위에서는 '금액(= Dollar Amount)'의 의미로 쓰이는 일반적인 경우에 한정해서 설명하였다.

알쓸 금융 상식

제16편 베어 스티프닝? 불 플래트닝?

"2021년이 시작된 지 2주도 채 안됐지만 미 국채 금리는 장기 금리 중심으로 빠르게 상승하고 있고 이로 인해 채권 수익률곡선은 가팔라지고 있다. 이는 국채 가격이 하락하면서 수익률곡선이 가팔라지는 '베어 스티프닝' 상황이다."

연준이 억지로 제로에 묶어놓은 단기 금리와 함께 역사적 저점을 기록했던 미 국채 장기물 금리(= 수익률; Yield)가 2020년을 벗어나 2021년에 들어 급격한 오름세를 보이자 위와 같은 보도들이 하나 둘 등장하기 시작했다. 통화 정책에 상대적으로 더 민감하게 반응하는 2년 만기 금리 대비 10년물 금리가 '나 홀로(?)' 급등하며 '베어 스티프닝(Bear Steepening)' 현상이 발생하고 있다는 내용인데, 이 이름도 어려운 '베어 스티프닝'이란 도대체 무얼 뜻할까?

정답: '베어 스티프닝'이란, 장기 금리가 단기 금리보다 상대적으로 더 상승함으로 인해 수익률 곡선(Yield Curve; 금리 커브)이 가팔라지는(Steepening) 현상을 뜻한다. 금리가 상승하면서 곡선의 '기울기(slope)' 또한 커진다는 의미 되겠다. 뭔가 곡선이 '누워 있다가' 귀차니즘을 극복하고 '일어서는' 느낌이라고나 할까? ㅎㅎㅎ

아래의 그림을 보면 이해하기 쉽다:

〈Figure 1: 베어 스티프닝(Bear Steepening)〉

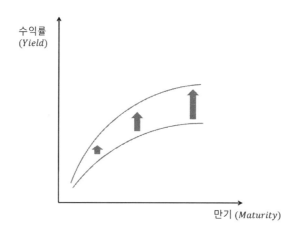

위의 그림이 보여주듯이 단기 금리(= 수익률)는 그대로거나 상대적으로 상승 폭이 적은 반면, 장기로 갈수록 상승 폭이 커지는 현상이 바로 수익률 곡선의 '베어 스티프닝' 되겠다. 참고로 금리가 '상승'하는 걸 '약세장'으로 간주하기 때문에 앞에 'Bear'가 붙는다.

그럼 베어 스티프닝은 어떤 경우 발생할까? 일반적으로는 경기 회복기의 초입에서 비록 단기 금리는 당분간 낮게 유지되리라 예상되지만 향후 경제가 점진적으로 회복하면서 중·장기적으로는 높은 경제성장률로 이어지고, 인플레이션도 자연적으로 높아질 거란 기대가 생길 경우 발생한다. 이 경우 향후 정책 금리의 단계적인 인상이 예상될 수 있기 때문이다. 바로 경제가 건강하게 성장할 것이란 기대하에서 발생하는 현상 되겠다.

그런데 2021년 초의 베어 스티프닝 현상은 그런 일반적인 경우와는 달리 다소 우려스럽게 다가온다는 견해가 당시에 많았었다. 중·장기 금리만 이상하리만치 급등한 이유가 오로지 '솟구친 기대 인플레이션'과 '미국 국채 매수세의 약화' 때문으로 보였기 때문이다. 경제는 건강하게 성장하지 못하고 물가만 오르는 최악의 상황인 '스태그플레이션(Stagflation)'의 도래가 연준이 가장 골치 아파하는 시나리오가 될 것이라는 선경지명주장이 당시부터 등장하기 시작했었다... *결국 [스태그플레이션은 아니지만 과도한 부양책으로 인해 미국 경제는 '과열'되었고 인플레이션은 걷잡을 수 없이 급등해 버렸다. 일부는 건강한 성장이었다 하지만, 글쎄올시다...*

암튼 앞에 곰(Bear)이 나왔으니, 이제 황소(Bull)가 나올 차례다. 초보자들도 눈치챘겠지만, '불 스티프닝(Bull Steepening)'이란 것도 존재한다. 바로 다음의 현상을 지칭한다:

〈Figure 2: 불 스티프닝(Bull Steepening)〉

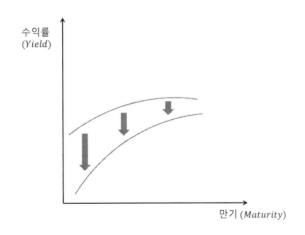

Figure 1과는 반대로 이번엔 위에서 아래로의 움직임이다. 금리가 전반적으로 하

락하지만(= 'Bull') 단기 금리의 움직임이 장기보다 상대적으로 큰 경우를 뜻한다. 이는 보통 경기 부양을 위해 연준이 정책 금리 인하를 공격적으로 진행하는 단계에서 흔히 발생할 수 있는 현상이다.

초보자들의 헷갈림 방지를 위해 남은 두 가지 케이스들 – '베어 플래트닝(Bear Flattening)' & '불 플래트닝(Bull Flattening)' - 의 그림들 또한 아래에 보여 준다:

〈Figure 3: 베어 플래트닝(Bear Flattening)〉

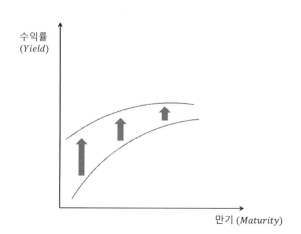

Figure 3이 보여주듯, 베어 플래트닝은 앞의 경우와는 반대로 연준이 정책 금리 인상을 급격하게 단행해 나가는 과정에서 발생할 수 있다. 여기서 장기 금리가 단기 금리를 못 따라와 주는 이유로는 금리 인상이 그리 오래 지속되지 못할 거란 시장의 기대치를 반영한다는 설명이 있을 수 있겠다. *물론 금융판에서는 잘 모를 땐 뭐든 가져다 붙이곤 한다... (-_-;)*

〈Figure 4: 불 플래트닝(Bull Flattening)〉

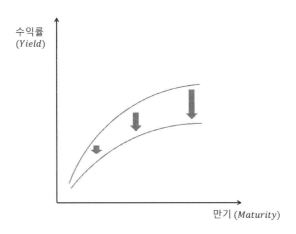

마지막으로 수익률 곡선의 '불 플래트닝' 모습이다. 장기 금리의 하락 폭이 단기 금리의 그것보다 상대적으로 큼을 볼 수 있다. 이러한 현상은 예를 들어 장기 인플레이션이 낮아질 거란 기대에 장기 금리가 급격히 내려오면서 발생할 수 있다.

Figure 1부터 4까지를 처음 본 초보자들은 참 헷갈릴 거다. 불, 베어, 스티프닝, 플래트닝... 마치 외계 용어처럼 들리는 어려운 이름들... 처음 들을 땐 물론 생소하고 부담스럽겠지만, 열심히 외운 후 친구들 앞에서 "요새 미국 커브의 베어 플래트닝이 말이지..." 어쩌고 하면서 이 책에서 배운 금융 지식들을 쭉 늘어놓는다면 그들이 당신을 매우 멋지게 볼 공산이 크다 할 수 있겠다. 물론 '얼굴 천재'면 아무것도 안 해도 멋질 거지만 말이다. *쿨럭... ㅠㅠ*

금리스왑(IRS)

제17편 스왑? 스와프? IRS?

이 책을 접하기 전에도 '채권(Bond)'은 '은행 대출(Loan)'보다는 덜하지만 그래도 살면서 어느 정도 들어본 적 있는 친숙한 금융상품이었을 것이다. 근데 스왑 (Swap)이란 것은,,, 그렇게 말할 수 있으려나?... 금융이란 분야를 조금 더 전문적으로 공부하거나 금융업에 종사하는 일부의 사람들 빼고는, 일반인들에게는 매우 낯설게 다가올 수 있는 개념이다. 하지만 쫄지 말자. 뭐든 하나씩 천천히 알아나가면 된다. 사실 필자가 이 개념을 처음 접했을 때 "이건 또 뭥미? 복잡한 건가?"하면서 왠지 모를 두려움에 혼자서 쪼끔 쫄았었다. *(ㅠㅠ 챙피하게시리... 물어볼만한 사람이 주위에 아무도 없어서 그랬다... '마바라'들밖에는... ㅠㅠ)* 하지만 과거의 필자처럼 당신들은 절대 쫄 필요 없다. 앞으로 가르쳐주는 것들을 반복해서 읽으면 바로는 아니더라도 천천히 이해가 가게 될 테니깐 말이다. 이 책을 읽고 있는 초보자들은 그야말로 행운아들이다. ㅎㅎㅎ ㅎㅎㅎ

'스왑(Swap)'은 '금융파생상품(Financial Derivative)'으로 분류된다. 그래서 처음에는 다소 어렵게 느껴지는 게 당연하다. '파생상품(Derivative)'이라는 단어가 주는 '무시무시함'이 많은 초보자들을 알게 모르게 쫄게 만들기 때문이다. 본론으로 들어가기에 앞서 '스왑'이란 이름이 들어간 여러 다양한 파생상품들이 시장에 존재

함을 알려주고 싶다. 어떤 것들이 있냐고? 대표적으로 다음의 것들이다:

<Table 1: 스왑의 종류>

상품명	영문명	분류
금리스왑	Interest Rate Swap ("IRS")	금리파생상품
총수익스왑	Total Return Swap ("TRS")	기초자산에 따라 분류
주식스왑	Equity Swap	주식파생상품
통화스왑	Cross Currency Swap ("CCS" or "CRS")	금리파생상품
외환스왑	Foreign Exchange Swap ("FX Swap")	외환파생상품
신용부도스왑	Credit Default Swap ("CDS")	신용파생상품

그렇다... 종류가 좀 많다... 근데 일반적으로 '스왑'이라고 하면 어떤 걸 말하냐고? 만약 앞에 주저리주저리 뭐가 붙지 않고 그냥 "Swap!"이라고 누가 자신 있게 외친 다면 매우 높은 확률로 위의 테이블에서 첫 번째로 등장하는 '금리스왑(Interest Rate Swap; IRS)'이란 놈(?)을 지칭하는 거라 생각하면 되겠다. 물론 예외의 경우도 존재할 거다. 예를 들어 '외환 딜러(Dealer)'에게 가서 스왑 거래를 하자고 얘기 하면 그 사람은 이게 당연히 '외환스왑'이라고 생각할 거다. 자기는 외환(FX)만 다루니깐 말이다. *너무 당연한 얘긴가? ㅋㅋㅋ*

또 한 가지 정말 헷갈리는 예는 딜러들 사이의 파생거래를 전문으로 중개하는 한 회사의 웹사이트에서도 찾을 수 있다: '스왑 금리'와 '파생 금리'라는 이름의 페이 지들에서 각각의 상품 가격을 고시하고 있는데, 자세히 살펴보면 '스왑 금리' 페이 지에서는 금리스왑이 아니라 외환스왑의 가격(= 스왑 포인트; Swap Point)을 고시 하고 있고, '파생 금리' 페이지에서 금리스왑의 가격을 고시하고 있음을 알 수 있 다. ㅎㅎㅎ ㅎㅎㅎ 정말 헷갈리는 세상이 아닐 수 없다. 뭐 상품 분류법이야 그 회 사 맘이니깐 그러려니 넘어가야 하겠지만, 참 우리가 사는 세상 너무 쓸데없이 복 잡하고 헷갈린 곳이라는 생각이 들지 않나?

뭐, 물론 그렇지 않은 경우들도 당연히 존재하기야 하겠지만, 필자가 자신 있게 말해주련다: 금융 분야에서 그냥 '스왑(Swap)'이라고 하면 매우 높은 확률로 '금리스왑'을 의미한다. 필자를 믿어라. 아니, 믿어 달라... *뭔가 비굴한 느낌이나.. (-_-;)*

스왑, 정확히는 '금리스왑'은 '이자율스왑'이라고도 하고, '금리스와프', '이자율스와프'라고 부르기도 하며, 영어 이니셜 'IRS'로 쓰기도 한다.*(미국 사람들이 그렇게나 싫어한다는 미국 '국세청'의 약자도 'IRS'다... ㅎㄷㄷ ㅎㄷㄷ)* 사람들 참 세상 복잡하게 산다. 지난 편들 - 「남용되는 단어, 레버리지」, 그리고 「명목금액에 관한 소고」 - 을 통해서도 필자가 불평했듯이 참 이런 중구난방성 때문에 안 그래도 복잡한 세상 더욱더 복잡해서 머리에서 스팀이 나올 지경이다... *ㅠㅠㅠㅠ*

금리스왑 = 금리스와프 = 이자율스왑 = 이자율스와프 = Interest Rate Swap = IRS

각설하고, 이제 본론으로 들어가 보자. 'Swap'이란 영단어는 '어떤 것을 주고 그 대신 다른 것으로 바꾸다', '교환하다'의 뜻을 가지고 있다. 금융파생상품에서도 Swap이라는 단어가 들어가면 대부분의 경우 A와 B를 서로 맞교환하는 거래를 뜻한다. 여기서 핵심은 *(특성상 'TRS'의 경우는 제외하고)* 맞교환하는 것이 무엇이 됐든 가치가 동일해야 한다는 점이다. 그렇지 않나? 내가 A를 주고 B를 가져오는데 서로 가치가 동일해야지, 만약 아니라면 나든 거래상대방(counterparty)이든 어느 한쪽이 손해 보는 장사인 것이다. 다른 분야도 아니고 '금융(Finance)'에서 어느 한쪽이 손해 보는 거래가 성립되기란 쉽지 않다. *(물론 거래상대방 양쪽 모두 전문가 (professional)라는 전제하에서다. 한쪽이 전문가이고 다른 한쪽이 비전문가 혹은 일반인이라면 전문가 쪽에서 어떻게든 '등처 먹으려고(rip off)' 할 게 뻔하다. 이름만 들어도 다 아는 일부(?) 투자은행(investment bank)들이 매일 이 짓거리들을 하고 앉아 있는 거는 뭐, 알 만한 사람들은 이미 다 아는 사실이고 말이다...)*

스왑 거래에 있어 서로 맞교환하는 것들의 가치가 동일해야 한다는 점은 나중에 가르쳐 줄 스왑 가격 결정법(Swap Pricing Methodology)의 기초가 되는 매우 중요한 가정이니 머릿속 한구석에 저장해두자. 자, 지금까지 잡담이 참 길었다. 미안타. *그래도 필자 책이 지루하지는 않을 듯... 쿨럭. ㅎㅎㅎ* 이제 금리스왑이란 게 뭘 교환하는 건지에 대해서 알아보자. 금리스왑은 명칭처럼 '금리(= 이자율)'를 양자 간에 서로 교환하는 거래이다. 근데 어떤 금리를? 바로 변동금리(Floating Rate)와 고정금리(Fixed Rate)를, 혹은 변동금리끼리, 서로 교환하는 거래이다.

그럼 '고정금리'끼리는 서로 교환될 수 있을까? 조금만 생각해 보면 그러한 거래는 (명목금액(Notional)이 양쪽에 동일하다는 가정하에) 말이 안 된다는 사실을 쉽게 깨달을 수 있을 거다. 왜냐하면 위에서 언급했듯이 서로 맞교환하는 것들의 가치가 동일해야 하는데 그러기가 불가능하기 때문이다. 예를 들어 고정금리 5%를 고정금리 3%와 바꾼다거나 고정금리 1%를 고정금리 10%와 바꾼다거나 이런 것들이 모두 말이 안 되는 거래라는 건 누구나 상식적으로 알 수 있을 거다.*(거래상대방 어느 한 쪽이 머리에 빵꾸 뚫린 '마바라'가 아닌 이상에 말이다...)* 반면에 변동금리는 고정금리와 맞바꾸는 게 이상하지 않을 수 있다. 다음의 예를 한번 같이 살펴보자.

명목금액: $1,000

거래만기: 6개월

이자 교환 주기: 3개월마다

고정금리: 1% p.a.

변동금리: 3개월 LIBOR (거래 시점에 0% 가정)

위의 단순한 예에서 고정금리 지급자는 거래상대방에게 연이율 1%의 고정된 금리를 주고(= pay) 대신에 거래의 만기까지 변동금리에 연계된 이자 금액을 수취하는 (= receive) 계약을 체결한다. 변동금리는 거래하는 시점에 시장에서 관찰해서 미리 정해지지만 그건 첫 3개월 기간에만 적용하고, 3개월 후에 또 한 번 시장에서 관찰해서 마지막 3개월 기간은 그 값으로 이자를 계산한다는 추가 가정을 해보자.

※ 변동금리를 시장에서 관찰해서 해당 계약에 적용시키는 행위를 '픽싱(Fixing)'이라 부른다. 또한 위에서 가정한 픽싱 방식은 '미리 정한다'는 의미에서 'Fixing in Advance'라 불리고 있다. 즉, 오늘 변동금리를 관찰해서 그 값을 가지고 3개월 후에 이자를 지급하는 방식을 의미한다. 이와 반대로 이자 지급일 즈음까지 기다렸다가 변동금리를 관찰 및 정하는 방식을 'Fixing in Arrears'라 부른다.

위와 같은 가정들을 하고 나면 미지수는 단 하나만 남는다. 뭐냐면 바로 3개월 후의 변동금리 '픽싱' 값이다. 여기서 주요 포인트는 거래하는 시점에서는 거래상대방 양쪽 모두 이 값을 모른다는 점이다. 이 금리스왑거래를 체결한 후의 현금 흐름 (Cash Flow)은 '미지수'를 포함, 다음과 같을 거다:

고정금리 지급자 관점의 현금 흐름

거래 3개월 후:
지급: $2.5 (= $1,000 × 1% × 1/4)
& 수취: $0 (= $1,000 × 0% × 1/4)

거래 6개월 후 (만기):
지급: $2.5 (= $1,000 × 1% × 1/4)
& 수취: $X (= $1,000 × Y% × 1/4)

자, 거래 3개월 후 고정금리 지급자는 $2.5의 지출이 생기는데 수입은 $0이다. 6개월 후에도 $2.5의 지출이 또 생겨버린다. 아무래도 좀 많이 밑지는 장사처럼 보이는데, 이 거래가 성립되려면 어떤 상황이 발생할 거라고 고정금리 지급자가 기대(expect)해야 할까? 두둥~~ 바로 '변동금리'가 3개월 후에 계약의 고정금리인 1%보다 훨~~~~씬 높아진다고 기대할 때 이 거래는 성립될 수 있을 거다! (즉, 위의 예에서 「Y% > 1%」을 기대)

뭐, 할인율(Discount Rate), 현재가치(Present Value), 이런 거 고려 안 하고 그냥 '야매'로 계산해 봐도 대충 이 변동금리란 놈(?)이 3개월 후 2%는 돼야 고정금리 지급자에게는 '똔똔'인 거래일 것이다. 따라서 손해 보는 장사처럼 보일지 몰라도 만약 저런 거래가 금융 시장에서 발생하고 있다면 그것은 3개월이란 짧은 시간 동안 금리가 급등할 거라는 전반적인 시장의 기대(expectation)를 반영하고 있는 거라 할 수 있겠다. 이는 또한 변동금리로 LIBOR 금리를 쓴다는 전제하에, 시장의 스왑 커브(Swap Curve)를 통해서 미래 시점의 LIBOR 금리의 기대 값, 즉 LIBOR 선도이자율(Forward Rate; 선도금리)들을 추출할 수 있다는 뜻이기도 하다.*(지난 9편에서 소개했던 '기대가설(Expectations Hypothesis)' 혹시 기억하는교?)*

근데 LIBOR는 또 뭐냐고? 국제 금융 시장에서 오랫동안 매우 중요하게 여겨지고 가장 널리 사용되어온 지표 금리 중 하나였다. 곧 자세히 알려주겠다.*(그치만 슬프게도 LIBOR 금리는 2024년 1월 현재 '합성된' 형태로만 존재하며 거의 죽기 직전(?)의 상황에 처해있다... ㅠㅠ)* '쌩'초보자들은 지금까지 알려준 스왑의 기본 정의와 구조 등을 제대로 소화시키기에도 머리가 터지려 할 게 뻔하니, 일단 여기까지 읽고 잠시 머리를 식힌 후에 다음 편으로 넘어오길 바란다. *뭐든지 처음엔 어렵다...* 그럼 다음 편에서 이어진다...

금리스왑(IRS)

제18편 문과생도 이해 쌉가능한 구조 설명

지난 17편에서 소개했듯이, 금리스왑(IRS)이란 일반적으로 고정금리(Fixed Rate)와 변동금리(Floating Rate)를 맞바꾸는 거래를 지칭한다. (물론 변동금리끼리의 교환 또한 가능하다.) 여기서 어떠한 지표금리(Benchmark Rate)를 스왑의 '변동금리'로 사용하는지는 각 통화마다 다 다르지만, 전 세계에서 가장 거래 규모가 큰 미국 달러화 스왑 시장의 경우, 태동 이후 2021년도까지 줄곧 '라이보(= LIBOR)' 금리를 변동금리로 사용하는 것이 마켓 스탠더드였다. 따라서 지난 수십 년간 'USD 스왑'이라 하면 '고정금리'와 (3개월 혹은 6개월 만기) '라이보' 금리를 맞교환하는 거래를 의미했었다고 할 수 있다.

근데 LIBOR가 도대체 뭐냐고? LIBOR는 보통 '라이보'라고 발음하지만 '리보'라 표현하는 기사들도 많이 발견할 수 있다. 다만 금융을 좀 아는 사람들은 대부분 '라이보'라 부른다는 점, 알아두자. LIBOR란 'London Interbank Offered Rate'의 약자로, 런던 자금 시장에서 우량 은행들 간 자금을 빌릴 때 적용되는 이자율 호가(quote)들의 평균값이(었)다. 고시되는 LIBOR의 종류에는 달러 금리인 USD LIBOR뿐 아니라 GBP, EUR, CHF, JPY 같은 다른 기축통화 기반 LIBOR들도 존재했으며, 각각의 만기와 통화에 따라 총 35개의 LIBOR 금리들이 2021년 말까지 패널 은행들의 호가에 기반해 매일 고시되어왔다. 비록 2024년 1월 기준으로 일부 주요 만기(= 1, 3, 6개월 만기)의 USD LIBOR 금리들, 그리고 3개월 GBP LIBOR 금리만이 살아남아(?) 계속 '합성된' 형태로 고시되는 중에 있지만 말이다.

※ 좀 더 정확히는 CHF와 EUR의 경우 모든 만기의 LIBOR가 2021년 말 이후로 고시되지 않고 있으며, JPY와 GBP의 경우는 일부 만기의 LIBOR 금리들에 한해 '합성된(synthetic)' 형태로만 존재하다가 전자의 경우 2022년 말에 고시가 완전히 중단되었고, 후자의 경우엔 2024년 3월 말경 종료될 예정에 있다. Bye bye, guys... ㅠㅠ ㅠㅠ

이렇듯 비록 사라져가는 중이지만, LIBOR 금리가 국제 금융 시장에서 가지는 역사적 의미는 매우 중요한 것이기에 이 책의 스왑 설명에 있어서도 수십 년간 스왑 '변동금리'의 벤치마크로 자리매김했던 (3개월) LIBOR 연계 구조에 기반해 시작하려 한다. *(물론 그 대체금리와 관련된 마켓 컨벤션의 전환 또한 뒷부분에서 자세히 커버할 예정이다.)*

먼저, '3개월 만기 LIBOR' 금리가 가진 속성에 관해 생각해 보자. LIBOR 금리는 연준(Fed)이 직접적으로 컨트롤하는 '익일물(overnight)' 금리인 '연방기금금리(Federal Funds Rate)'나 또 다른 지표 금리인 '3개월 만기 국채 금리(3 month Treasury Yield)' 등과 밀접하게 연결돼 움직이기도 하지만, 또 한편으로는 이들과 다른 독자적인 움직임을 보이는 면도 있(었)다: ① LIBOR 금리는 '은행들 간'의 차입 금리를 나타내기 때문에 은행들의 '신용 위험(Credit Risk)'을 내포하고 있다 할 수 있겠다. 따라서 신용 위험이 제거된 국채 금리와는 달리 추가적인 '크레딧 리스크 프리미엄'이 얹어져 있다. 그리고 ② 연방기금금리 같은 익일물보다 만기가 훨씬 긴 관계로 그런 초단기 금리 대비해서 '기간 프리미엄(Term Premium)'이 더해져 있다고 볼 수 있다.

만약 스왑의 변동금리가 바로 이 '3개월 LIBOR 금리'라면, 시장에 형성돼있는 스왑 커브(Swap Curve)를 통해 향후 LIBOR 금리에 대한 시장의 기대(expectation)가 어떠한지를 추측해볼 수 있을 거다. 지난 편에서 잠깐 언급했던, 스왑 커브로부터 LIBOR의 선도이자율(Forward Rate; 선도금리)들을 추출하는 것이 가능하냐는 얘기다. 이 부분이 궁금한 이들을 위해서 다음 편에서는 스왑 가격 결정법(Swap Pricing Methodology)의 소개와 함께 선도금리 추출 과정의 예를 자세히 보여주려 한다. 단, 이번 편에서는 특별히 '뼛속까지 문과생'들만을 위한 '야매' 방식으로 가능한 한 쉽게 그 메커니즘을 설명해주겠다. 이를 위해 지난 17편에서 소개했던 '가상의' 금리스왑 거래의 예로 다시 한번 돌아가 보자:

명목금액: $1,000

거래만기: 6개월

이자 교환 주기: 3개월마다

고정금리: 1% p.a.

변동금리: 3개월 LIBOR (거래 시점에 0% 가정)

위의 예에서는 변동금리인 3개월 LIBOR 금리를 거래 시점에 한 번, 그리고 3개월 후 한 번, 이렇게 총 두 번 관찰해서 정하고(= 픽싱; Fixing), 이 금리들을 적용해 계산한 이자 금액은 각각 3개월 뒤, 그리고 6개월 뒤에 지급한다고 가정했다.(= 'Fixing in Advance') 그리고 만약 거래 시점에 관찰한 LIBOR 금리가 단순히 0%라면, '고정금리 지급자(Fixed Rate Payer)' 입장에서 예상되는 현금 흐름은 다음과 같을 것이다:

고정금리 지급자 관점의 현금 흐름

거래 3개월 후:

지급: $2.5 (= $1,000 × 1% × 1/4)

& 수취: $0 (= $1,000 × 0% × 1/4)

거래 6개월 후 (만기):

지급: $2.5 (= $1,000 × 1% × 1/4)

& 수취: $X (= $1,000 × Y% × 1/4)

자, 각 시점의 '할인율(Discount Rate)'과 '현재가치(Present Value)', 뭐 이런 복잡한 거 그냥 싹 다 무시해버리자. 별로 중요치 않다. 고정금리 지급자의 입장에서 거래 시점부터 만기까지 발생하는 지출은 총 $5(= $2.5+$2.5) 수준이다. 반면 수입은 3개월 후 시점까지 $0이니깐(= 거래 초기 LIBOR 금리 0% 가정), 만기에 $5 상당의 수입이 한꺼번에 발생해야 겨우 '똔똔'이다.

눈대중으로 계산해 보면 알겠지만 만기에 $5(= $X)를 받기 위해서는 거래 3개월 후 픽싱(Fixing)되는 LIBOR 값(= Y%)이 연율로 2%가 되어야 한다! 이는 다시 말하면 3개월 만기 LIBOR의 3개월 후 선도이자율이 약 2%라는 뜻이다. 스왑 금리 1%는 따라서 첫 번째와 두 번째 기간의 LIBOR 값들의 평균을 의미한다 할 수 있고... 이해 가나? *3개월 후 LIBOR가 2%로 점프(!)하려라 시장이 기대·예상하기에 저런 거래가 성립될 수 있는 거다. 고정금리 지급자가 '바보'가 아닌 이상...*

그럼 내친김에 9개월짜리 스왑의 예도 한번 살펴볼까? 만약 시장에서 6개월짜리 스왑이 1%에 거래되고 있고, 이에 더해서 9개월짜리 스왑 금리가 2%에 형성돼있다고 가정한다면, 이 경우 고정금리 지급자에게 예상되는 미래의 현금 흐름은 다음과 같을 거다:

고정금리 지급자 관점의 현금 흐름

거래 3개월 후:

지급: $5 (= $1,000 × **2%** × 1/4)

& 수취: $0 (= $1,000 × 0% × 1/4)

거래 6개월 후:

지급: $5 (= $1,000 × **2%** × 1/4)

& 수취: $A (= $1,000 × B% × 1/4)

거래 9개월 후 (만기):

지급: $5 (= $1,000 × **2%** × 1/4)

& 수취: $C (= $1,000 × D% × 1/4)

9개월 만기 스왑 계약이고 분기별 이자를 교환한다는 가정을 하면, 고정금리 지급자의 관점에서 거래 시점에 알지 못 하는 현금 흐름들은 바로 6개월 후에 수취할 이자 금액, 그리고 9개월 후(만기)에 수취할 이자 금액, 이렇게 두 가지 되겠다. 그런데 만약 앞에서 소개했던 1% 고정금리를 가지는 6개월 만기 스왑이 현재 거래되는 중이라면, 6개월 후 수취할 것으로 '기대되는' 현금 흐름까지는 거래 시점에서 계산해볼 수 있다:

거래 6개월 후:

수취: $5 (= $1,000 × **2%** × 1/4)

참고로 위의 '2%'는 6개월 만기 스왑 금리로부터 추출한 '3개월 후 LIBOR의 기댓값(= 선도이자율)'이다. 이렇게 시장의 기댓값까지 감안해서 6개월 후 현금 흐름에 대입하고 나면, 미지수는 이제 9개월 후 수취하는 금액 하나만 남는다.

이는 고정금리 지급자의 입장에서 만기까지 총지출이 $15(= $5+$5+$5)나 되는 반면 예상 수입은 6개월 후 시점까지 $5밖에 되지 않음을 의미한다. 지출과 수입이 같아지기 위해서는 만기 시점에 무려 $10(= $C)을 받아야만 하는 상황이다. 다시 말하면 6개월 후 LIBOR 금리가 연율로 4%(= D%)까지 치고 올라와야 한다는 얘기 되겠다! 위의 가상의 예에서 시장은 정말 엄청난 금리 급등을 예상하고 있는 것이다. 마지막으로, 9개월짜리 스왑의 고정금리 2%는 만기까지 총 3번 픽싱되는 LIBOR 금리들의 평균값을 나타낸다고 간주할 수 있겠다.(2% = (0%+2%+4%)÷3)

휴우... 문과생들도 이해가제??? 안 가도 한두 번 더 천천히 읽으면 갈 거라 감히 말해 준다. *필자 노력했대니...* 참고로 오늘 가르쳐 준 거는 '야매' 계산법이란 걸 절대 잊지 말자...

※ 위의 예에서 'Fixing in Advance' 가정으로 인해 헷갈리지 않도록 조심하자. 거래 시점에 정해지는(= 픽싱되는) LIBOR 금리는 3개월 후 지급되는 이자 금액 계산에, 3개월 후 픽싱되는 LIBOR 금리는 6개월 후 지급되는 이자 금액 계산에, 그리고 6개월 후 정해지는 LIBOR 금리는 9개월 후(만기) 지급되는 이자 금액 계산에 각각 적용된다.

아마 여기까지 읽었으면 초보자들도 스왑 커브(Swap Curve)란 게 뭘 의미하는지 대충 감 잡았을 거다... 간단히 말하자면 우량 은행들의 차입 금리를 반영하는 수익률 곡선이라 할 수 있겠다. 시장에는 미국 국채의 수익률 곡선도 존재하고 물론 이것도 매우 중요한 의미를 갖지만, 사실 투자은행(Investment Bank)들은 본인들의 차입 비용을 반영하는 이 '스왑 커브'를 예전부터 더 중시해왔고, 오랫동안 파생상품들을 포함한 각종 금융상품들의 현금 흐름을 이 스왑 커브에서 추출한 현물이자율(Spot Rate)들로 할인해왔었다. 그만큼 중요한 개념이기 때문에 LIBOR가 뭔지, 스왑 금리, 그리고 스왑 커브가 뭔지에 대한 이해가 깊지 않다면 그 사람은 사실 자본 시장(Capital Market)에 대해 잘 모르는 ~~바바라사람~~이라 감히 말힐 수 있겠다.*(물론 기업 인수합병 같은 거만 다루는 'IBD' 쪽은 자세히 모를 수 있다. 그건 오케이. 근데 웃긴 점은 IBD 쪽도 아닌데 투자은행이나 증권사 오래 다녀도 이 개념을 '잘' 모르는 사람들을 수도 없이 봐왔다는 사실이다... 참 요지경 세상이 아닐 수 없다...)*

이번 편을 끝내기 전에 한 가지 초보자가 헷갈릴 수 있는, 꽤 중요한 부분을 짚고 넘어가려 한다. 보통 우리나라 기업이 해외시장에서 해외 통화로 된 글로벌 본드(Global Bond)를 발행하면 '미드스왑(Mid-Swap) 대비 얼마'에 발행되었다는 보도들이 종종 뜨곤 한다. 예를 들면 아래와 같은 기사들이다:

"이번 글로벌본드는 XX은행의 미화 X억달러 글로벌 MTN(Medium Term Note) 프로그램에서 인출되는 것이다. 발행금리는 라이보(LIBOR·런던은행간금리) 3개월(미드스왑) 대비 160bp 수준이다."

"영국 로이터통신은 관련 소식통을 인용, YY가 Y억 달러 규모의 3년물 달러본드를 미드스왑 대비 2.10%포인트 높은 금리 조건으로 발행하는 최종 가이던스를 결정했다고 전했다."

여기서 '미드(Mid)'는 '미국 드라마'가 아니라 '비드(Bid)-오퍼(Offer)' 호가들의 '중앙값'이라 생각하면 되겠다.*(참고로 금리스왑에서 Bid는 고정금리 지급 방향을. Offer는 고정금리 수취 방향을 의미한다)* 기업이 발행하는 채권의 만기가 5년이고, 5년짜리 달러 금리스왑 가격(= 고정금리)이 현재 2%라는 간단한 가정을 함 해보자. 만약

"우리나라 기업이 해외에서 미드스왑 대비 3%(= 300bps)의 스프레드 수준에서 달러 채권을 발행했다"라는 기사가 뜬다면 과연 얼마에 발행했다는 뜻으로 알면 될까? 어려울 것 없다. 이 경우 정말 단순하게 '이표율(Coupon Rate)이 5%(= 2%+3%)인 채권이 발행됐다는 뜻이구나'라고 생각하면 되겠다.

별로 안 어려운데 뭐가 헷갈리냐꼬? ㅎㅎㅎ 왜 헷갈릴 수 있냐면 금융 쪽에서는 「미드스왑(Mid-Swap) 대비 3%」라는 표현과 「LIBOR + 3%」라는 표현을 서로 혼용해서 쓰는 경우가 많기 때문이다. 위의 예에서 미드스왑 레벨이 2%라는 것의 의미는 스왑 시장을 통해 앞으로 5년 동안 2%의 고정금리를 LIBOR와 맞바꿀 수 있다는 얘기이다... 이는 다시 말하면 「5%의 고정금리」를 「LIBOR + 3%」와 교환할 수 있다는 얘기가 된다! 고정금리는 스왑 시장을 통해 변동금리(LIBOR)로 쉽게 바꿀 수 있기 때문에 시장에서는 「미드스왑 + 3%」에 발행됐다는 얘기를 그냥 「LIBOR + 3%」 수준에 발행됐다고 얘기하곤 한다.(물론 필자는 현재 고정금리부채권에 대한 얘기를 하고 있다... FRN(Floating Rate Note; 변동금리부채권) 얘기가 아니다...)

여기서 암 것도 모르는 초보자가 헷갈릴 수 있는 이유는, 지금 현재 시점의 LIBOR 금리를 가지고 얘기하는 것으로 잘못 착각할 수 있기 때문이다. 위의 예에서 5년 만기 채권이 「LIBOR + 3%」 수준에서 발행됐다는 얘기는 '지금 현재 시점의 LIBOR 금리 + 3%'라는 얘기가 절대 아니다! 지금 현재 시점의 LIBOR는 앞의 예에서처럼 0%일 수도 있다. 하지만 스왑 금리는 LIBOR의 미래에 예상되는 움직임까지 감안한 금리이다. 5년 스왑 금리가 2%라는 얘기는 지금은 비록 LIBOR가 0%이지만 5년간 이보다 훨씬 높게 금리가 급등할 것이라는 기대를 내포하고 있는 것이다.

따라서 5년 만기 채권이 「LIBOR + 3%」 수준에 발행됐다는 얘기는 (변동금리부채권이 아닌 이상) 지금 현재 LIBOR 0%에서 3%를 더한 값이 아니라(= '0%+3%'가 절대 아니라~), 스왑 금리 2%에 3%를 더한 금리(= 2%+3%= 5%!)에 발행됐다는 얘기로 받아들여야 한다... 휴우... 이거 암 것도 아닌데도 헷갈리는 사람들이 많이 있어서 좀 자세히 설명하느라 힘들었다. 암튼 초보자들이 여기까지 안다면 스왑에 대해 "쪼끔은 안다"고 다른 '문과생'들에게는 자랑해도 되겠다. 물론 '진짜' 좀 안다고 하려면 훨씬 더 많은 지식이 필요하겠지만 말이다... *참고로 달러물 스왑 시장 컨벤션은 2022년에 들어 본격적으로 LIBOR 연계에서 'SOFR' 연계로 전환되었음을 알린다... 이는 (달러물)「미드스왑(Mid-Swap) 대비 3%」라는 표현이 오늘날에는「SOFR + 3%」로 받아들여짐을 의미한다. 컨벤션의 변화 관련해서는 후편들에서 더 자세히 알려주겠다.*

금리스왑(IRS)

제19편 스왑 커브 부트스트래핑

이번 편에서는 스왑 가격 결정법(Swap Pricing Methodology)을 소개하고, 시장에서 거래되는 '스왑 금리'들로부터 현물이자율(Spot Rate)과 선도이자율(Forward Rate)들을 정식으로 추출하는 과정을 교과서적인 간단한 예를 통해 설명하려 한다. 지난 8~10편에서 보여주었던 채권의 경우와 비슷한 '부트스트래핑(Bootstrapping)' 과정을 통해 스왑 시장의 스팟 커브(Spot Curve) 및 포워드 커브(Forward Curve)를 같이 도출해 보는 *매우 유익한* 시간을 가져보도록 하자.

※ 일반적으로 '스왑 금리' 혹은 '스왑 가격'이라 함은 시장에서 거래되는 스왑의 '고정금리(Fixed Rate)' 레벨을 가리킨다. 이걸 '금리스왑 금리'라 표현하면 정말 이상하게 들리는 관계로 그냥 '스왑 금리'라 표현하였다. ㅋㅋㅋ ㅋㅋㅋ

금리스왑은 2개의 큰 축으로 이루어져 있다. 하나의 축은 고정금리(Fixed Rate)에 연계된 현금 흐름이고, 또 다른 축은 변동금리(Floating Rate)에 연계된 현금 흐름이다. 금융 업계에서는 이 각각의 축을 '다리(Leg)'라는 단어를 써서 표현하곤 한다. 즉, 금리스왑은 'Fixed Leg'와 'Floating Leg', 이렇게 2개의 '다리'로 이루어져 있고, 시장에서 거래되는 스왑 가격은 이 '다리'들의 현재가치(Present Value)를 서로 동일하게 만드는 값이라 할 수 있다. 스왑 거래를 통해 서로 맞교환하는 것들은 *(TRS는 제외하고)* 뭐가 됐든 그 가치가 동일해야 한다는 지난 17편의 맛배기 실명을 기억하는교?

스왑의 각 다리의 현재가치는 아래의 일반화된 수식으로 간단히 표현 가능하다:

$$PV_{fixed} = \sum_{i=1}^{n} FixedRate\,CashFlow_i \times DiscountFactor_i \tag{1}$$

$$PV_{floating} = \sum_{j=1}^{m} FloatingRate\,CashFlow_j \times DiscountFactor_j$$

where

PV_{fixed} = *Fixed Leg*의 현재가치
$PV_{floating}$ = *Floating Leg*의 현재가치
$FixedRate\,CashFlow_i$ = *Fixed Leg*의 i번째 현금 흐름
$FloatingRate\,CashFlow_j$ = *Floating Leg*의 j번째 현금 흐름
$DiscountFactor_i$ = *Fixed Leg*의 i번째 현금 흐름에 대한 할인인자
$DiscountFactor_j$ = *Floating Leg*의 j번째 현금 흐름에 대한 할인인자
n = *Fixed Leg*의 현금 흐름 지급 총 횟수
m = *Floating Leg*의 현금 흐름 지급 총 횟수

※ *'할인인자(Discount Factor; 할인요소; 할인계수)'와 '할인율(Discount Rate)'을 헷갈리지 말자. 연복리 가정하에서 첫해의 할인율이 'r'이라면, 할인인자는 '1/(1+r)'이 된다.*

시장(Market)이 효율적이고 옳다는 전제하에 *(진짜로 그런지는 학계의 영원한 논란거리지만...)* 현시점에서 관찰되는 시장의 스왑 금리 레벨은 다음의 등식을 성립하게 하는 값이다:

$$NPV = PV_{fixed} - PV_{floating} = 0 \qquad (2)$$

즉, 주고(pay) 받는(receive) 것들의 가치가 서로 동일하다는 가정이다. 참고로 일부 논문들은 PV를 서로 '뺀 값'이 아니라 PV를 서로 '더한 값'이 0이 된다고 표현하기도 하는데, 이것은 그냥 한쪽 다리의 현금 흐름을 플러스가 아닌 마이너스로 나타내서 발생하는 표기법(notation)상의 차이일 뿐이다.

자, 이 시점에서 수식 (1)을 곰곰이 다시 한번 들여다보자. 만약 우리가 스왑 시장에서 현재 거래되는 스왑 금리(= 고정금리)를 쉽게 관찰할 수 있다면, (1)에서 우리가 아직 모르는 미지수들은 어떤 것들이 남게 될까? 어디 보자, 먼저 고정 다리(Fixed Leg)의 현금 흐름들은 시장에서 거래되는 스왑 금리에 기반해 바로 산출할 수 있으니 이건 아니고,,, 우리가 모르는 건 바로 미래의 각 시점(i, j)들에 대한 '할인인자(Discount Factor)'들, 그리고 변동 다리(Floating Leg) 쪽 각 현금 흐름의 정확한 금액들이겠다. 참고로 이 변동 다리 현금 흐름들에 미래 시점의 LIBOR 선도이자율(Forward Rate) 값들이 녹아있다 할 수 있다.*(혹시나 8~10편을 읽어보지 않았다면 앞으로 돌아가서 먼저 읽고 오자.)*

그럼 먼저 할인인자(할인요소; 할인계수)부터 건드려볼까? 근데 건드리기 전에 먼저 어려운 얘기 하나 해줘야 할 게 있다... 지난 18편에서 필자는 글로벌 투자은행들이 상당히 오랜 기간 동안 스왑 커브로부터 추출한 현물이자율들로 (금리스왑을 포함한) 각종 금융상품들의 현금 흐름을 할인해왔었다고 언급한 적이 있다. 이 방법은 LIBOR 스왑 커브에서 추출한 금리로 다시 LIBOR 스왑의 현금 흐름을 할인하므로 'Self-discounting'이라 불리기도 한다.

간편함에 있어 탁월한 면이 있었지만, '08년 금융위기 이후 LIBOR가 할인율로 쓰이기 적절한지에 대한 논란과 함께 대략 2010-12년경 방법론의 변화가 시장 대대적으로 일어났다. 이 시기를 거치며 대다수 딜러들이 'OIS-discounting' 방식으로 전환하였고, 최근에는 다시 [중앙청산소를 통해 청산되는(cleared) 파생상품 거래들의 경우] 'SOFR-discounting'으로의 전환이 이루어진 상태이다. 이에 대해서는 다음 편에서 더 자세하게 기술하겠다. 다만 이번 편은 단순한 예를 통한 초보자의 '공부' 목적이므로 직관적으로 더 이해하기 쉬운 과거 LIBOR 스왑의 'Self-discounting' 방식에 기초해 설명하려 한다.*(사실 어떤 커브를 쓰든 현물이자율과 선도이자율 산출하는 기본 '원리(principle)'는 같다. 기술적으로만 다를 뿐이다.)*

휴우... 서론이 길었다. 암튼 이제 스왑 커브로부터 '현물이자율'을 같이 함 추출해 보자. 언제나 그렇듯이 시작하기 전에 여러 가정들이 필요할 거다. 쓸데없는 복잡함은 없애고 다음과 같이 매우 단순화된(simplified) 가정들을 해 보자:

스왑 만기	지급 주기	스왑 금리	현물이자율	할인인자	라이보 선도이자율
6개월	분기	1%	R_6	D_6	L_6
9개월	분기	2%	R_9	D_9	L_9
12개월	분기	3%	R_{12}	D_{12}	L_{12}

위의 가정들에 따르면 시장에서 3개월 LIBOR에 연계된 6개월 만기 금리스왑은 현재 1%에 거래되고 있으며, 9개월 만기의 경우엔 2%, 그리고 12개월(= 1년) 만기의 경우엔 3% 수준에서 거래되고 있다. 이는 사실 단기간의 엄청난 금리 폭등을 예상하고 있는 셈인데, 지난 편의 '야매' 계산 값들과 비교해 주기 위해 일부러 9개월물까지의 숫자들을 동일하게 만들어 봤다.

또한 고정 다리와 변동 다리의 이자 지급 빈도가 '매 분기'로 서로 동일하고,*(하지만 3개월 LIBOR 연계 스왑의 실제 마켓 컨벤션은 이와 달랐다)* 복리의 주기 또한 이자 지급 빈도와 동일한 '매 분기'이며, 변동금리인 3개월 LIBOR를 각 기간의 시작점에서 미리 관찰해서 정하는 'Fixing in Advance' 방식을 사용한다는 추가 가정들을 해보자. 이는 위의 테이블 마지막 열의 L_6, L_9, L_{12}가 각각 6개월 후, 9개월 후, 12개월 후에 픽싱되는 LIBOR 값들이 아니라, 각각 3개월 후, 6개월 후, 9개월 후에 픽싱되는 값들임을 의미한다. 마지막으로, 심플함을 추구하기 위해 현재 시점의 3개월 LIBOR가 지난 편의 예에서처럼 단순히 0%라 가정해 보자.

이제 다 준비된 듯하다... 스왑을 사실상 '변동금리부채권'과 '고정금리부채권'의 컴비네이션으로 간주할 수 있다는 해석하에서 각 시점의 현물이자율은 Par 가격을 가정한 채권의 경우와 동일한 방식의 '부트스트래핑' 과정을 통해 다음과 같이 산출해 나갈 수 있다:

$$\frac{\left(\frac{\$1}{4}\right)}{\left(1 + \frac{0\%}{4}\right)} + \frac{\left(\frac{\$1}{4}\right)}{\left(1 + \frac{R_6}{4}\right)^2} + \frac{\$100}{\left(1 + \frac{R_6}{4}\right)^2} = \$100$$

$$\Rightarrow R_6 \approx 1.0013\%$$

지난 10편에서 이미 언급했듯이, 현물이자율은 Par 채권의 이표율(= 스왑의 고정금리)보다 살짝만 높게 산출되는 것이 정석이다. 그럼 내친김에 R_9와 R_{12}도 위와 같은 방식으로 바로 구해보자:

$$\frac{\left(\frac{\$2}{4}\right)}{\left(1 + \frac{0\%}{4}\right)} + \frac{\left(\frac{\$2}{4}\right)}{\left(1 + \frac{R_6}{4}\right)^2} + \frac{\left(\frac{\$2}{4}\right)}{\left(1 + \frac{R_9}{4}\right)^3} + \frac{\$100}{\left(1 + \frac{R_9}{4}\right)^3} = \$100$$

$$\Rightarrow R_9 \approx 2.0067\%$$

$$\frac{\left(\dfrac{\$3}{4}\right)}{\left(1+\dfrac{0\%}{4}\right)} + \frac{\left(\dfrac{\$3}{4}\right)}{\left(1+\dfrac{R_6}{4}\right)^2} + \frac{\left(\dfrac{\$3}{4}\right)}{\left(1+\dfrac{R_9}{4}\right)^3} + \frac{\left(\dfrac{\$3}{4}\right)}{\left(1+\dfrac{R_{12}}{4}\right)^4} + \frac{\$100}{\left(1+\dfrac{R_{12}}{4}\right)^4} = \$100$$

$$\Rightarrow R_{12} \approx 3.0190\%$$

예상대로 R_9와 R_{12} 또한 해당 만기의 스왑 금리보다 살짝만 높게 계산된다. 그리고 각 시점의 할인인자(Discount Factor)들은 단순히 위의 현물이자율들을 다음과 같이 변환한 값들이다:

$$D_6 = \frac{1}{\left(1+\dfrac{R_6}{4}\right)^2} \approx 99.5012\%$$

$$D_9 = \frac{1}{\left(1+\dfrac{R_9}{4}\right)^3} \approx 98.5099\%$$

$$D_{12} = \frac{1}{\left(1+\dfrac{R_{12}}{4}\right)^4} \approx 97.0371\%$$

여기까지 쉬웠다. 이제 남은 일은 3개월 LIBOR의 선도이자율을 추출하는 일이다. 어렵냐고? 아니다. 이것도 사실 안 어렵다. 지난 9편과 10편에서 보여줬던 채권의 현물이자율로부터 선도이자율을 산출하는 방식과 100% 동일하기 때문이다. 아래처럼 구하면 된다:

$$\left(1 + \frac{0\%}{4}\right) \times \left(1 + \frac{L_6}{4}\right) = \left(1 + \frac{R_6}{4}\right)^2 \quad \Rightarrow L_6 \approx 2.0050\%$$

$$\left(1 + \frac{R_6}{4}\right)^2 \times \left(1 + \frac{L_9}{4}\right) = \left(1 + \frac{R_9}{4}\right)^3 \quad \Rightarrow L_9 \approx 4.0252\%$$

$$\left(1 + \frac{R_9}{4}\right)^3 \times \left(1 + \frac{L_{12}}{4}\right) = \left(1 + \frac{R_{12}}{4}\right)^4 \quad \Rightarrow L_{12} \approx 6.0711\%$$

참고로, 앞에서 산출한 현물이자율(혹은 할인인자)들을 가지고 스왑의 NPV를 0으로 만드는 LIBOR 선도이자율들을 찾는 방식으로 계산해도 위와 동일하게 계산됨을 쉽게 확인할 수 있을 것이다. *궁금하면 함 검산해보도록...* 이제 필요한 계산은 다 했으니 처음에 등장한 테이블을 계산 값들로 꽉 채워보자:

스왑 만기	지급 주기	스왑 금리	현물이자율	할인인자	라이보 선도이자율
6개월	분기	1%	1.0013%	99.5012%	2.0050%
9개월	분기	2%	2.0067%	98.5099%	4.0252%
12개월	분기	3%	3.0190%	97.0371%	6.0711%

자, 어떤가? 지난 10편에서 같이 해봤던 채권의 현물이자율, 선도이자율 구하기 방식이랑 사실상 그 방법이 동일하다. 그리고 지난 편에서 '야매'로 계산했던 LIBOR 선도이자율들(= 3개월 후 2%, 6개월 후 4%)의 정확한 계산 값들을 위 테이블의 마지막 열에서 확인할 수 있다. 뭐, 이 정도면 '야매' 계산도 때에 따라서는 꽤 훌륭할 수 있다고 생각지 않나? ㅎㅎㅎ ㅎㅎㅎ

이 편을 끝내기 전에 위의 예시 값들은 매우 단순한 가정들하에서 산출되었고, 실제의 'Curve Building' 작업에는 이와는 달리 추가적인 금융공학적 기법들이 사용되어 더 복잡한 과정을 거친다는 점을 알린다. 관찰 인덱스 또한 스왑 금리만 쓰지 않고, 커브의 단기 쪽은 금리 선물/선도 시장에서 추출하는 경우가 일반적이다. 다만, 어차피 일부의 퀀트(Quant)·마켓리스크(Market Risk) 쪽 전문 인력이 아닌 이상 금융권에서 일한다고 하더라도 본인이 현물이자율과 선도이자율 커브를 민드는 데(혹은 일부라도 건드리는 데) 관여할 확률은 거의 0%라 할 수 있기에 대부분의 경우 이보다 더 깊게 들어갈 필요는 없다고 본다. 물론 다음 편에서 언급할 'OIS/SOFR-discounting'으로의 전환이 무슨 의미인지 정도는 당연히 알아 놓아야 할 거지만 말이다.

금리스왑(IRS)

제20편 금융위기 이후 시장의 변화

본 편 시작 전에 궁금해 할 이들을 위해 알려주는 보너스 지식: 달러(USD) 금리
스왑에 연동되는 변동금리로 오랜 기간 3개월 LIBOR 금리가 널리 쓰였다면 한국
에서는 「3개월(= 91일물) 양도성예금증서(Certificate of Deposit; CD)」 금리가
원화(KRW) 금리스왑의 변동금리 인덱스로 사용돼 왔다. 'CD'는 시중은행들이 발
행하는 금융상품이기 때문에 한국의 경우도 과거 달러의 경우처럼 스왑 커브(Swap
Curve)가 은행들의 신용 리스크를 내포하고 있다고 해석할 수 있는 것이다.*(물론 원
화 기반의 '국내' 은행들의 리스크라는 점이 다르긴 하지만...)* 다만 한국도 현재 미국을
따라 초단기 금리로의 벤치마크 전환 노력 과정 중에 있음을 알린다.

이제 세계에서 거래량이 가장 많은 달러 시장으로 다시 돌아가 보자. 글로벌 은행
들은 과거 금리스왑을 포함한 각종 파생상품들의 현금 흐름을 할인할 때 LIBOR에
연계된 스왑 커브로부터 추출한 현물이자율(Spot Rate)을 사용했었다. 사실상 '08
년도 금융위기 전까지는 LIBOR가 금융 시장에서 거의 '무위험 이자율(Risk Free
Rate)'과 다를 바 없는 취급을 받았다고 해도 과언이 아니다. 초단기 금리인 '연방
기금금리(Federal Funds Rate)'에 연계된 'OIS(= Overnight Index Swap)' 금리
와도 별로 큰 차이가 나지 않았고, 그 차이란 것도 오랜 기간 매우 안정적인 모습

을 보였기 때문이다. 그런데 이 모든 게 2008년 금융위기가 발생하면서 변해버렸다.*(사실 시장이 흔들리기 시작한 건 그보다 더 이른 2007년부터다...)* 갑자기 LIBOR가 미쳐 날뛰는 매우 불안정한 모습을 보였던 거다. 바로 아래와 같이 말이다:

〈Figure 1: LIBOR - OIS 금리 차 추이: 2006년 1월 ~ 2009년 4월〉

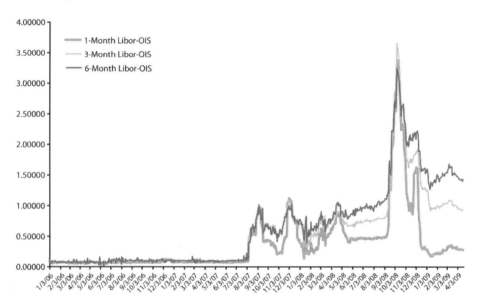

Source: Thornton (2009)

참고로 'OIS'는 금리스왑(IRS)의 일종이지만 변동금리가 익일물(overnight)이라 특별히 'OIS'라는 이름으로 불린다. 뭐, 어렵게 생각할 필요 없다. 당시 대표적인 달러 IRS가 LIBOR에 연동돼있었듯이 대표적인 달러 OIS는 '연방기금금리'에 연계됐었다고 단순히 생각하고 넘어가면 되겠다.*(정말 정확히는 'Effective Federal Funds Rate(EFFR)'에 연계되어 있다)* 그리고 당연히 '연방기금금리'는 익일물이라는 특성상 3개월 LIBOR 금리보다 '무위험 이자율(Risk Free Rate)'에 훨씬 더 가까운 금리로 간주된다. 따라서 LIBOR와 OIS 금리의 차이가 Figure 1에서 보여주듯 엄청나

게 벌어진다는 얘기는 LIBOR 금리가 더 이상 무위험 이자율로 간주되고 있지 않다는 뜻으로 해석할 수 있다.

그런데 갑자기 왜 이런 불안정한 모습을 보였냐고? 2007년부터 서브프라임 모기지 시장에 대한 우려가 심각하게 부각되기 시작했고, 2008년에는 미국 4대 투자은행으로 손꼽히던 리먼브라더스(Lehman Brothers)까지 파산했을 정도로 금융 시스템이 붕괴 직전까지 갔던 상황이었다. 당시에는 거래상대방(counterparty) 리스크가 크게 부각되어 우량 은행들끼리도 서로를 못 믿는 형국이었으며, 공포가 시장을 지배하던 시기였기에 그랬다.

요즘 세대들은 믿기 힘들겠지만 리먼브라더스 파산 전후의 시기에는 골드만삭스(Goldman Sachs)와 모건스탠리(Morgan Stanley)도 무사하지 못 할 거란 견해가 시장에 팽배했었다. *결국 업계 3위인 메릴린치(Merrill Lynch)는 뱅크오브아메리카(Bank of America)와 합병되었지만, 1,2위인 골드만과 모건은 '운 좋게도' 상업은행과의 합병 없이 살아남았다...* 당연히 이러한 상황에서 몇 개월간의 은행 신용 리스크를 반영하는 LIBOR 금리는 '오버슈팅(overshooting)'할 수밖에 없었으며, 금융위기가 진정된 이후에도 시장이 흔들릴 때마다 불안정한 모습을 이어나갔다.

이렇게 불안정해진 금리인 LIBOR를 예전과 같이 무위험 이자율로 취급하기엔 무리라는 판단을 업계나 규제당국이 자연스레 하기 시작했으며, 게다가 이로부터 몇 년 뒤에는 LIBOR 조작 스캔들까지 터져버리고 만다. LIBOR 금리는 시장에서 관찰되는 수많은 실거래들에서 추출되는 값이 아니라 매일 패널(Panel) 은행들이 제출하는 '호가(quote)'들을 모아 평균을 내는 방식으로 산출되는 금리다. 이러한 특성 때문에 은행 내부적인 이해관계를 위해 담당 데스크가 호가를 의도적으로 조작하거나 혹은 더 나아가 아예 은행들끼리 담합해서 조직적으로 금리를 왜곡할 수 있는 위험성이 있었는데, 아니나 다를까... 실제로도 그랬다는 것이 각국 금융 당국의 수사에 의해 만천하에 드러난 것이다! 아래는 이와 관련된 지금으로부터 약 12 년

전의 기사 제목들이다:

라이보 스캔들 확산...EU, 규제 강화 칼 뽑았다
글로벌 은행들, 라이보 스캔들로 수십억弗 손실 우려
'줄사퇴에 당국 개입까지'..라이보 스캔들 확산
뉴욕 연은 "라이보 조작 사전 인지"..美에 불똥?
"은행권, 라이보 조작 벌금- 보상액 최대 25조원"

이름만 대면 알만한 많은 은행들이 LIBOR 조작에 가담한 것으로 결국 드러났고, 이는 전 세계적으로 천문학적 규모의 금융상품들에 LIBOR 금리가 연계되어 있는 상황에서 LIBOR보다 더욱더 투명하고 안정적인 금리를 벤치마크로 대체해야 할 필요를 각국의 금융 당국이 깨닫게 하는 본격적인 계기가 되었다. 결국 지난 2017년 7월, 영국의 금융행위감독청(FCA)이 패널 은행들의 LIBOR 금리 호가 제출 의무를 2021년 말까지만 유지시키기로 발표하면서 LIBOR의 '퇴출'이 가시화가 되었다. 다만 가장 많이 쓰이는 벤치마크인 달러(USD)물의 주요 만기 금리들의 최종 고시일은 시장의 혼란을 방지하기 위해 2023년 6월 말까지로 추가적인 연장이 이루어진 바 있다. *2024년 1월 현재에도 '합성된(synthetic)' 형태로 존재하며 적어도 2024년 9월 말까지는 계속해서 고시될 예정이다.*

지금까지는 사실 서론에 불과하다.*(서론이 길었다... (-_-:))* 위에서 설명한 일련의 사건들로 인해 스왑 시장에는 크게 두 가지의 변화가 발생한다. 첫째는 거래상대방 위험과 LIBOR 금리의 불안정성 등이 부각되며, 딜러 은행들이 스왑을 비롯한 파생상품의 현금 흐름을 더 이상 LIBOR에 연계된 'IRS 커브'를 사용해서 할인하지 않고 대신 연방기금금리에 연계된 'OIS 커브'를 사용해서 하기 시작했다는 점이다. 대략 2010년경부터 이 벤치마크 '할인율(Discount Rate)'의 전환이 대대적으로 일어났고, 스왑 거래에 있어 '중앙청산소(Central Clearing Counterparty; CCP)' 역할을 하는 'CME'와 'LCH' 등도 이 할인율 전환에 동참하였다.

현금 흐름 할인(discounting)에 OIS 커브를 쓰기 시작한 건 사실 금융 기관들끼리의 파생상품 거래에 있어 '담보 계약서(Credit Support Annex; CSA)'에 기반한 거래가 스탠더드로 자리매김했기 때문이기도 하다. 이는 파생상품 담보 계약을 통해 서로 주고받는 달러 현금(USD Cash)에 붙는 이자가 '연방기금금리'였기에, 기관들 간 파생상품 거래에 있어 요구되는 담보 가치 산출과 파생상품의 MtM(= Mark to Market; 시장가치) 계산에 있어 모두 이 연방기금금리에 연계된 OIS 커브로 할인해야 올바르고 일관적인 가치 산정을 할 수 있다는 논리에 기초한다. (참조: Clarke 2010). 여기서 조금만 더 심오하게 들어가자면, Hull and White (2013) 같은 학계 논문들은 무위험 이자율에 가까운 OIS 금리를 할인율로 사용해야 하는 이유에 대해 금융상품에 대한 '리스크 중립적(risk-neutral) 평가'를 하기 위해서라고 설명하며 담보 조건 등과는 상관없이 무위험 할인율을 써서 금융상품의 기본 가치를 먼저 계산하고, 불완전한 담보 계약에 따른 추가 비용 등은 그 이후에 조정하는 것이 올바른 방법론이라 강조한다.

만약 대고객 거래에 있어 담보 계약서가 없거나 아니면 USD 현금을 담보물로 제공하지 않거나, 아님 거래상대방 둘 중 하나만 담보를 제공하게 되는 그런 예외 상황(= Non-standard CSA)들은 어떻게 처리하냐고? 각각의 경우에 따른 추가적인 가치 조정(Value Adjustment)을 해야만 할 거다. 예를 들어 어떤 기업과 아무런 담보 계약 없이 대고객 스왑 거래를 체결할 경우, 딜러 은행의 입장에서 보면 뒷단에서 행해지는 은행들 간의 헤지(hedge) 거래에 있어서는 MtM의 움직임에 따라 담보 비용이 발생할 수 있지만, 해당 기업과의 거래에서는 무담보라는 이유로 이 비용이 자동적으로 전가되지 못 하므로, 예상 비용을 따로 계산해서 전가시켜야 할 것이다. 또한 담보가 없으니 기업의 만기 내 부도 확률(Default Probability)에 기반한 신용 리스크를 스왑 가격에 추가적으로 반영시켜야 할 거고 말이다. 참고로 이런 추가적인 '가치 조정' 업무를 은행의 딜링룸(Dealing Room) 내에서 담당하는 파트를 「XVA 데스크」라고 부르고, 오늘날에는 이 데스크가 대고객 파생상품 거래에 드는 각종 비용들 - 그 종류만 해도 CVA, FVA/LVA, KVA, 등등 한두 가지가 아니다 - 을 일일이 계산하고 있다. 거래하기가 침 복잡한 세상이 돼버린 것이다. *(XVA는 매우 테크니컬한 부분이기에 초보자들은 그냥 그런 게 있구나 정도만 이해하고 넘어가도 아무 문제없을 듯하다. 학계와 업계에서 논쟁거리가 많은 분야이기도 하다.)*

이어진 시장의 두 번째 변화는 전 세계 금융상품들에 연동되는 벤치마크로서의 LIBOR를 대체할 '무위험 이자율'로의 전환이다. 달러 시장의 경우, LIBOR를 대신할 벤치마크로 채택된 금리는 바로 실제 미국 국채 레포(Repo·환매조건부채권) 거래들에 기반해 산출되는 'SOFR(Secured Overnight Financing Rate; 소퍼)'라는 이름의 '익일물 담보부 금리'이다. 따라서 많은 달러물 변동금리부채권, 대출, 그리고 IRS를 비롯한 각종 금융상품들이 LIBOR가 아니라 이제는 SOFR에 연계되어 자연스레 거래되는 중이다. 특히나 2021년까지만 해도 SOFR 연계 스왑 규모가 LIBOR에 비해 너무 작다는 우려가 존재했었음에도 불구하고 2022년도를 기점으로 SOFR 연계 스왑이 달러 IRS 시장의 '대세'로 자리매김한 바 있다.

또한 2020년 10월경 CME와 LCH같은 스왑 거래 중앙청산소(CCP)들이 기존의 'OIS-discounting' 방식에서 'SOFR-discounting' 방식으로 다시 전환했다는 소식을 알려주고 싶다. 당시 SOFR 금리가 시장의 벤치마크로 자리매김할 수 있도록 진작시키는 차원에서 이와 같은 전환이 조금은 일찍 발생하였다고 본다. 물론 업계 전반적인 일관성(consistency)의 제고를 위해서는 고객들과 체결한 담보 계약서 (CSA)들의 수정 또한 앞으로 이루어져야할 것이다.

앞에서도 언급했지만 'OIS'라는 용어는 '익일물'금리에 연계된 IRS를 뜻하는데, 'SOFR'도 그 성격이 사실 연방기금금리(EFFR)와 같은 '익일물'이기 때문에 앞으로 SOFR의 위상이 점점 더 높아지면 질수록 'OIS'가 자동적으로 연방기금금리에 연계된 거래라는 인식은 점점 더 희석돼 갈 것으로 사료된다. 'EFFR-OIS'인지, 아니면 'SOFR-OIS'인지 확실한 구별이 필요할 테니깐 말이다. SOFR로의 완전한 전환은 또한 스왑의 변동금리도 SOFR이고, 할인 커브도 SOFR 커브가 되는 상황이기 때문에 금융위기 이전의 스탠더드였던 심플한 'Self-discounting' 방식으로의 회귀를 의미한다고도 할 수 있겠다.

마지막으로, 한국도 미국보다 다소 속도는 느리지만 'LIBOR → SOFR' 전환에 준하는 작업을 현재 진행 중이라고 알려주고 싶다. 최근의 언론 보도들에 의하면, 한국에서도 익일물 국채·통안증권 레포(RP) 금리에 기반한 'KOFR' 금리가 원화 IRS 변동금리인 CD 금리의 위치를 언젠간 대체할 것으로 예상해 볼 수 있다. 그야말로 변혁의 시대이다.

References

Clarke, Justin. 2010. "Swap Discounting & Pricing Using the OIS Curve." Edu-Risk International.

Hull, John, and Alan White. 2013. "LIBOR vs. OIS: The Derivatives Discounting Dilemma." *Journal of Investment Management*, Vol 11, No. 3: 14-27.

Thornton, Daniel L. 2009. "What the Libor-OIS spread says." *Economic Synopses*. Federal Reserve Bank of St. Louis.

금리스왑(IRS)

제21편 스왑 對 국채: 스왑 스프레드

'스왑 스프레드(Swap Spread)'라고 부르기도 하지만, 동시에 '본드-스왑 스프레드'라는 표현도 많이들 쓴다. 보통 금융 분야에서 '스프레드(Spread)'나 '베이시스(Basis)'라는 단어가 쓰이면 다른 어떤 것과의 '차이(difference)'를 뜻하는데, 스왑 스프레드란 바로 유사 만기의 국채 금리와의 차이를 의미한다. 즉, 다음의 수식으로 정의된다:

$$\text{스왑 스프레드} = \text{스왑 금리} - \text{국채 금리}$$

참고로 '스왑 베이시스(Swap Basis)'란 것도 존재하는데, 이는 국채가 아니라 또 다른 파생상품인 '통화스왑(Cross Currency Swap; CRS; CCS)'과 연관된 완전히 다른 개념이니 헷갈리지 말자. 지난 편들을 읽어봤으면 알겠지만 LIBOR에 연계된 달러 스왑 커브는 은행들의 신용 리스크를 반영하기 때문에 이 같은 리스크가 제거된 (유사 만기의) 국채 금리보다 높아야 정상이다. 한국의 원화 스왑 커브 또한 시중은행들이 발행하는 3개월 CD 금리에 연계되어 있기에 한국 국고채 금리보다는 이론적으로 높게 형성되어야 정상일 거고 말이다. 하지만, 과연 그럴까? 이론상으론 그런데, 실제론 안 그렇다... *(-_-;) 세상 참 복잡하다...* 아래는 2022년 5월 말 기준 1년/3년/5년/10년 만기 원화 스왑 금리와 국채 금리의 모습이다:

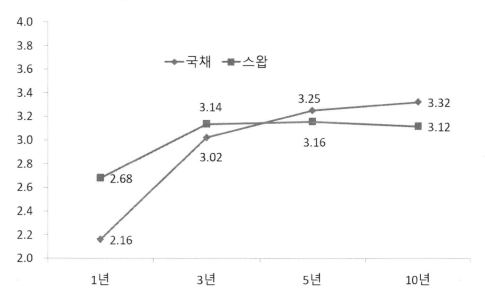

〈Figure 1: 국채 및 스왑 1년/3년/5년/10년 금리〉

Data Source: 한국자금중개; 2022년 5월 31일 자

그렇다. 3년 만기까지는 스왑 금리가 국채 금리보다 높은 정상적인 모습인데, 5년, 10년은 거꾸로 되어있다. 장기 쪽으로 갈수록 상대적으로 덜 위험한 국채 금리가 은행의 신용 리스크를 내포하는 스왑 금리보다 훨씬 높아지는 이상한 상황이 벌어지고 있는 거다. 이거 우리나라만 그렇냐고? 사실 해외도 그렇긴 하다. 단, 우리나라의 스왑 스프레드의 역전 현상은 2000년대 초·중반부터 관찰되어 온 꽤 오래된 현상인데 반해 달러물의 경우엔 2008년 금융위기 이후에야 천천히 하나둘씩 발생하기 시작했다는 점이 조금 다르다.

그럼 위와 같은 금리 시장의 왜곡 현상은 왜 발생하는 걸까? 솔직히 이에 대한 설명은 무수히 가져다 붙일 수 있을 거다. 실제로도 이건 "이래저래 해서 그렇다"라고 자신 있게 썰을 푸는 전문가들도 많이 있고... 뭐 지잘한 이유들이 있을 순 있겠으나, 다 차치하고 시장에서 가장 중요하게 생각하는 이유는 바로 우리나라의 전체 주택담보대출 중 변동금리 대출이 차지하는 비중이 매우 높다는 점이다. 한국은행 데이터에 따르면, 2022년 4월 기준, 예금 은행들의 주택담보대출을 위시한 가계 대출 잔액의 무려 77% 상당이 변동금리에 연계돼있다고 한다.

은행의 입장에서 대출은 '자산(asset)'이고, 은행채나 예금은 '부채(liability)'에 해당한다. 전자는 '받을 돈'이고, 후자들은 '갚을 돈'이니깐 말이다. 근데 보통 은행채나 예금은 고정금리가 선호되다 보니 변동이 아니라 고정금리 형식이 많다. 따라서 이러한 자산과 부채의 미스매치(mismatch)를 해결하기 위한 방편으로 우리나라 IRS 시장에 은행들의 '고정금리 수취(= Receive Fixed)' 수요가 상대적으로 많을 수밖에 없다는 설명되겠다. 즉, 받으려는 기관이 주려는 기관보다 많은 상황에서는 스왑 금리가 하락할 수밖에 없는 것이다.

초보자들을 위해 조금만 더 자세히 말해주자면, 주택담보대출의 이자가 변동금리에 연계되어 있다는 얘기는 은행 입장에서 '변동금리 수취(= Receive Floating)' 포지션이 존재한다는 뜻이다. 은행이 스왑 시장에 나가서 '변동금리 지급' & '고정금리 수취' 거래를 하게 되면 대출과 스왑의 변동금리 현금 흐름들은 대충 서로 퉁쳐지고(?), 결국 '고정금리 수취' 현금 흐름만 은행에 남게 된다. 이는 은행이 '변동금리부 자산'을 스왑 시장을 통해 '고정금리부 자산'으로 효과적으로 변경시킬 수 있음을 의미한다. 결국, 이러한 IRS 시장의 특이한 수급 요인이 오랜 기간 국내 스왑 스프레드의 왜곡 현상을 일으켜왔다고 생각해 볼 수 있겠다. *물론 다른 이유들도 종종 가져다 붙이곤 한다. 예를 들어 장기 구조화채권(Structured Note) 판매로 인한 외국계 은행의 장기 쪽 '고정금리 수취' 수요가 강하다든지, 혹은 국고채 공급의 증가로 인한 물량*

뭐, 그 이유야 어쨌든, 스왑 금리가 국채 금리보다 많이 낮아지게 되면 이는 다시 '무위험 차익거래(Arbitrage)'의 기회로 이어지게 된다. 이건 어떻게 가능하냐고? 한 가지 방법은 바로 아래와 같은 포지션 구축을 통해서다:

〈Figure 2〉

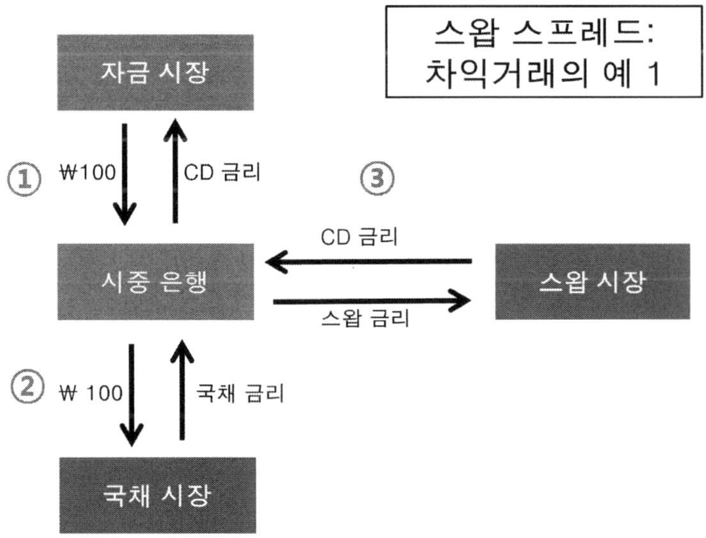

위 Figure 2의 예에서 차익거래는 다음 세 가지의 거래들로 구성된다:

① 시중은행이 3개월마다 CD 금리로 자금시장에서 돈을 빌린다. (만기 도래 시 계속 연장(Rollover)할 수 있다는 가정이다.)

② 시중은행은 이렇게 빌린 자금으로 5년 만기 국고채를 매입한다.

③ 이와 동시에 스왑 시장에서 5년 만기 '고정금리 지급' 스왑 거래를 체결한다.

이러한 거래들을 실행하고 나면 변동금리(CD) 현금 흐름은 서로 퉁쳐져서(?) 없어지고, 은행 입장에서 남는 건 단순히 '국채 금리 수취(= Receive KTB)' & '스왑 고정금리 지급(= Pay Fixed)' 포지션이 된다. 즉, 이 차익거래를 통한 수익은 다음과 같다:

$$차익거래\ 수익 = 국채\ 금리 - 스왑\ 금리 = -\ 스왑\ 스프레드$$

'스왑 스프레드'의 절댓값*(참고: 스왑 스프레드가 '음수'인 상황이니 앞에 마이너스를 붙여야 '양수'가 된다)*이 단순히 이 무위험 차익거래의 수익이 되는 것이다. 스왑 스프레드가 점점 더 음의 영역으로 갈수록 차익거래를 통한 기대 수익도 점점 높아지게 되므로 스왑 스프레드가 무한대로 벌어지기는 힘들 것이다. 차익거래에 대한 수요가 증가하게 되면 시장에 '고정금리 지급' 수요가 늘어날 수밖에 없고, 이는 스왑 금리를 상승시켜 스왑과 국채 금리의 차이를 다시 줄어들게 만들 것이기 때문이다.

$$차익거래\ 수요 \uparrow \Rightarrow 스왑\ 금리 \uparrow \Rightarrow (-\ 스왑\ 스프레드) \downarrow$$

그럼 CD 금리에 자금을 빌릴 수 있는 은행들만 이 차익거래가 가능하냐고? 그렇진 않다. 국고채 레포(RP) 시장을 통해 저렴하게 자금 조달이 가능하다면 은행들만 할 수 있는 건 아니다. 다음과 같이 말이다:

〈Figure 3〉

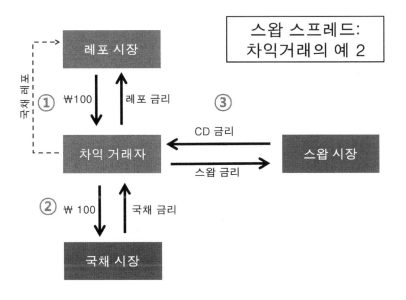

위 Figure 3에서는 차익거래 세력이 국채를 담보로 자금을 빌리는 형식의 환매조건부채권 거래를 한다고 가정했다. 이 경우 조달 금리는 '레포(REPO; RP)' 금리가 되는데, 이는 국채 '담보부(Secured)' 금리이므로 정상적인 상황하에서는 CD 금리보다 낮을 것이다. 위 Figure 3의 현금 흐름을 정리해 보면 본 차익 거래를 통한 수익을 아래와 같이 나타낼 수 있겠다:

차익거래 수익 = (국채 금리 – 스왑 금리) + (CD 금리 – 레포 금리)

즉, 이 경우엔 '(- 스왑 스프레드)'에 더해 'CD 금리 - 레포 금리'만큼의 추가 수익이 발생하는 것이다. 다만, 레포 거래의 만기와 CD 만기 간의 불일치, 그리고 레포 시장의 단기적 수급 불균형으로 인한 왜곡 현상 등의 이유로 차익거래에 적용되는 레포 금리가 CD 금리보다 높아질 리스크도 물론 존재하기에, 위의 거래가 완벽한 '무위험' 차익거래라고는 말할 수 없을 것이다. 그래도 스왑 스프레드 및 CD 금리 - 레포 금리 차가 둘 다 많이 벌어져 있는 상황이라면 높은 확률로 꽤 짭짤한 거래가 될 수 있겠다. 비록 중간에 MtM 흔들림은 견뎌야 할 테지만 말이다...

(참고: Figure 3은 레포 거래의 '헤어컷(haircut)' 등을 가정하지 않은, 단순화된 예인 점 참고 바란다. 이 헤어컷이란 것 때문에 필요자금 전부를 빌리지 못할 수 있고, 부족한 자금은 자금 시장을 통해 따로 더 높은 금리에 차입해야 할 수 있지만, 이런 복잡한 가정은 계산의 편의상 일부러 생략하였다.)

위의 차익거래들이 이론적으로는 가능하지만 실제로는 각종 비용 때문에 실행하기 어려울 수도 있다는 점도 말해주고 싶다. 위의 거래에서 발생할 수 있는 각종 규제 자본 비용, 파생거래 관련 비용, 그리고 넓은 비드-오퍼 스프레드(Bid-Offer Spread) 같은 것들까지 모두 감안해서도 수익이 어느 정도 이상 발생해야만 이러한 차익거래가 매력적으로 다가올 거기 때문이다. 그리고 짧은 만기라면 모르겠지만 만기가 너무 길어지면 자금 조달에 있어 '롤오버(Rollover; 연장)' 리스크가 커지게 되는 문제도 있음은 물론이다.

실제로 연준(Fed) 발간 리서치인 Boyarchenko et al. (2018)은 일부 만기들에서 달러(USD) 스왑 스프레드가 (계속해서) 마이너스 영역에서 머무는 이유가 바로 'SLR(Supplementary Leverage Ratio; 보완적 레버리지 비율)' 규제 강화 등으로 인해 늘어난 '자본 비용(Capital Charge)'이 딜러 은행들의 손익분기점(Breakeven Point)을 높여 왔고, 이것이 예전과 같은 차익거래의 실행을 어렵게 만들고 있기 때문이라고 주장한다. 물론 Klingler and Sundaresan (2018)과 같이 적립금 부족에 허덕이는 연기금(Pension Fund)들이 현금을 사용하지 않고도 듀레이션 헤징이 가능한 금리스왑에 대한 수요가 (특히 장기물 위주로) 늘어났기 때문이라는 해석 또한 공존한다... 아무튼 우리나라뿐만 아니라 해외에서도 스왑 스프레드의 역전 현상을 매우 관심 있게 지켜보고 여러 가지 썰들을 푸는 중이라 할 수 있겠다.

마지막으로, 2024년 1월 현재에도 원화 시장에서의 스왑 스프레드는 중장기물들에서 계속해서 마이너스를 보이고 있음이 관찰된다. 또한 달러물의 경우엔 스왑 연계 변동금리가 LIBOR에서 무위험 이자율인 SOFR로 바뀐 오늘날, 역전 폭이 과거보다 전반적으로 좀 더 심화되었음을 볼 수 있다. 이는 무위험 이자율인 SOFR 금리가 LIBOR보다 태생적으로 더 낮은 금리이기에 자연스러운 현상으로 보인다. SOFR는 은행의 신용 리스크에 대한 프리미엄을 내포하지 않기 때문이다.

근데, 공식은 '스왑 빼기 국채'인데, 왜 이름을 '본드-스왑 스프레드'라고 거꾸로 부르는지 필자는 도통 모르겠다... ㅎㅎㅎ 참으로 쓸데없이 헷갈리는 세상이 아닐 수 없다. *다들 일부러 그러는 겨??? 그럼 가드 올... 쿨럭. (-_-;)*

References

Boyarchenko, Nina, Pooja Gupta, Nick Steele, and Jacqueline Yen. 2018. "Negative Swap Spreads." *Economic Policy Review*. Federal Reserve Bank of New York. issue 24-2, pages 1-14.

Klingler, S., and S. M. Sundaresan. 2018. "An Explanation of Negative Swap Spreads: Demand for Duration from Underfunded Pension Plans." BIS Working Paper No. 705.

금리스왑(IRS)

제22편 SOFR 금리스왑? 차이점이 뭐꼬?

지난 편들에서 언급했지만, 비록 주요 만기의 달러 LIBOR 금리들이 2023년 중반까지 패널 은행들에 의해 계속 고시되었긴 하나, 2022년에 들어 그 대체금리인 'SOFR(소퍼)' 금리로의 스왑 시장 컨벤션 전환이 본격적으로 이루어지며 공식적인 종료 훨씬 이전 시점부터 LIBOR 금리가 가진 영향력은 급속도로 떨어진 바 있다. 휴우~~~ 이 책을 쓰면서도 *틀딱이 된* 필자의 가슴 한 켠이 왠지 시려오려 한다... LIBOR는 50년도 더 된, 매우 유서 깊은 벤치마크 금리가 아니었던가. 국제 금융 시장의 역사 그 자체인데, 이게 이제 역사 속으로 (완전히) 사라지기 일보직전이니, 괜히 '센티멘털'해지려 한다... *주책이 따로 없네...* ㄲㄲ

그 오랜 시간 동안 금리스왑 커브는 국고채 커브와는 달리 은행 간 차입 금리인 LIBOR 금리에 기반하기에 글로벌 금융기관들의 '신용도'를 반영하는 커브라고 학교에서나 업계에서나 주구장창 가르쳐왔는데... 근데 이제는 (달러) 금리스왑이라 하면 '무위험 금리(Risk Free Rate; RFR)'인 'SOFR'에 기반한 커브로 이해해야 하다니,... 뭔가 스왑과 관련된 흥미진진한 전제(= 이야깃거리)가 없어진다는 사실이 많이 안타깝게 다가온다. SOFR는 LIBOR처럼 은행 신용 리스크를 내포하지도 않고, 또한 기간물(Term Rate)도 아닌, 매우 '무미건조한' 초단기 금리일 뿐이니깐...

이제 그만 각설하고, 지난 17~19편들에서 소개했던 'Fixing in Advance'라는 개념을 다시 한번 복습하면서 이번 편을 시작해 볼까 한다. 과거 LIBOR 전성시대(?)에서 그랬던 것처럼, 17~19편들의 예시에서 필자는 스탠더드한 달러 스왑의 변동금리 다리(Floating Leg)가 3개월 LIBOR 금리에 연계되며, 픽싱(Fixing) 또한 매 3개월마다 일어난다고 상정했었다. 또한 'Fixing in Advance' 방식하에서, 3개월 LIBOR는 '거래 시점을 포함해' 3개월마다 픽싱된다고 가정했었다. 이는 지금으로부터 3개월 후에 지급되는 이자 금액이 사실상 오늘 결정됨을 의미한다.(= 적용 금리를 이자 지급일 3개월 전에 미리 결정)

근데 머리 아플까 봐 필자가 지금까지 말 안 해줬지만, 사실 LIBOR 픽싱에는 '-2 Day Fixing Lag'이란 게 존재했다. 맨 처음 픽싱을 예로 들면, 첫 이자기간 시작일(First Day of the Calculation Period = Effective Date)의 '이틀 전'에 고시되는 값을 사용한다는 얘기다. 두 번째 픽싱은 둘째 이자기간 시작일의 '이틀 전'에 고시되는 값을 쓰고, 세 번째 픽싱은 셋째 이자기간 시작일의 '이틀 전'에 고시되는 값을... etc. etc. 이러한 특이한 픽싱 방법은 국제스왑파생상품협회(ISDA; International Swaps and Derivatives Association)가 발간한 정의집인 ISDA (2006)에 아래와 같이 자세히 기술되어 있다: *(참고로 시장의 최근 변화를 반영한 2006년도 버전의 개정판이 2021년에 새롭게 출간되었음을 알린다)*

"USD-LIBOR-BBA" means that the rate for a Reset Date will be the rate for deposits in U.S. Dollars for a period of the Designated Maturity which <u>appears</u> on the Reuters Screen LIBOR01 Page as of 11:00 a.m., London Time, <u>on the day that is two London Banking Days preceding that Reset Date</u>.

눈이 어질어질하겠지만 필자가 밑줄 쳐준 부분만 일단 신경 써서 봐보자. (뭐, 영어 독해 좀 하는 사람들의 눈에는 바로 보이겠지만) 저 문구는 LIBOR 픽싱이 각 이 자계산 시작일의 '2 영업일 전'에 된다는 내용을 담고 있다. 더 정확히는 '2 (런던) 영업일 전날 로이터 [단말기]의 특정 페이지에 런던 시간으로 오전 11시를 즈음해서 고시되는 값'을 쓴다는 내용이다.

이렇게 2 영업일 '전'에 픽싱되는 메커니즘을 업계 일각에서는 '-2 Day Fixing Lag'이라 부르며 이는 다음의 그림으로 더욱 쉽게 설명가능하다:

〈Figure 1〉

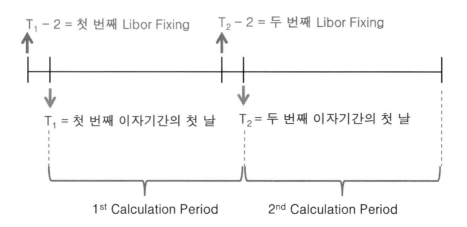

이번에는 SOFR 기반 금리스왑의 경우엔 변동금리가 어떠한 메커니즘으로 픽싱되는지 살펴보도록 하자. 먼저, 좀 많이 귀찮고 복잡하지만, 태생적으로 '익일물'인 SOFR의 성격상 이자계산 기간 내내 '매일매일' 관찰되어야 할 거란 생각이 왠지 들지 않나??? *아니라꼬? 그냥 머리만 멍~하다꼬??* ㅜㅜ 슬프지만, 맞다, 맞어. SOFR

기반 스왑에서 변동금리 다리의 이자계산에 적용하게 될 금리는 다음과 같은 '일복리(daily compounding)' 계산식에 기초해 산출하는 것이 현재의 마켓 스탠더드다. (참조: ISDA 2018)

$$Annualized\ Compound\ Rate = \left[\prod_{i=1}^{d_0}\left(1 + \frac{SOFR_i \times n_i}{360}\right) - 1\right] \times \frac{360}{d} \qquad (1)$$

뼛속까지 문과생 마인드들은 머릿속이 어질어질하겠지만, 정신 차리고 한번 따라와 보자. 찬찬히 보면 이해 갈 거다. 먼저, 수식 (1)에서 파이(Pi)처럼 생긴 저것은, 소괄호 안의 것들을 다 '곱한다'는 뜻으로 이해하면 된다. 그니깐, 「$(1+r_1) \times (1+r_2) \times (1+r_3) \times (1+r_4) \times (1+r_5) \times ...$」이런 식으로 하루짜리 금리들을(정확히는 (1+금리)) 계속 곱해나가는 방식이 바로 '일복리'라 할 수 있겠다.

근데 왜 매일매일 연이율로 고시되는 SOFR 금리를 365가 아니라 360으로 나누느냐고? 이건 그냥 미국 단기 자금 시장(Money Market)의 '적수 계산법(Day Count Convention)' 스탠더드가 'Actual/360'이기에 이걸 그대로 따르느라고 그러는 거라 생각하면 된다. *별 이유 없음... (-_-:)* 참고로 위에서 SOFR 옆에 곱해주는 'n'은 해당 SOFR 금리의 적용 일수를 나타낸다. 일반적인 경우에는 'n=1'이라 아무런 영향이 없지만, 토·일요일을 앞둔 금요일 값의 경우에는 'n=3'이 되어 총 3일 치가 적용된다.*(공휴일 껴는 고시가 안 되니깐 직전 날의 금리로 다 갈음해 버리고 그 기간만큼은 복리(compounding)를 적용하지는 않는다는 얘기...)*

백문이 불여일견이라고 실제 숫자들을 가지고 예시적으로 계산하는 여정을 필자랑 같이 떠나보면 문과생이라도 수월하게 이해가 갈 거다. 좀 귀찮긴 하지만, 사실 이런 자잘한 디테일까지 자세하게 들이파보고, 실제 자기 손과 발로 직접 계산을 해봐야, 그 메커니즘을 머리에 쏙 넣을 수 있다고 본다.

그리고 (금융계에 발을 들여 놓는다는 전제하에) 이런 고생도 사서 안 하면 나중에 나이 들어 시장에 좀비처럼 길어 다니는 수많은 들딱'마바라'들과 똑같이 한심하게 돼버릴 가능성이 매우 농후하다고 얘기해 주고 싶다. "스왑에서 SOFR 픽싱은 어떻게 되는 건가요?"라는 빠릿빠릿한 젊은이의 질문에 답도 못하고 어버버 거릴 금융시장에 널린 '마바라'들처럼 말이다. 그렇게 추하게 안 늙으려면 젊을 때 공부해야 한다. 금융 꿈나무들은 필자 책으로 그 기초를 다져나갈 수 있길 기대해 본다. *참으로 안타깝지만, 무식이 철철 넘치는데도 본인이 전문가라며 거들먹거리는 금융계 마바라들은 전 세계적으로 널려있다... 아시아 퍼시픽(APAC) 시장만 봐도, 싱가포르에선 Raffles Place, 홍콩에선 Kowloon이랑 Central, 서울에선 광화문이랑 여의도역 근처에 좀비들처럼 우글거리니, 금융계 원숭이마바라 구경하러 언제 여행 함 떠나보시길~~~ (-_-;); ㅎㅎㅎ 반농담이고, 앞으로는 젊은이들이 판을 바꿔나가리라 믿어 의심치 않는다. I believe in you guys...*

쓸데없는 잡담이 길었다. 미안타. *Please excuse me...* 다음 편에서는 SOFR 다리 이자 금액을 같이 계산해보는 나름 유익하고 재미진(?) 시간을 가져보도록 하자.

References

ARRC. 2021. "An Updated User's Guide to SOFR." The Alternative Reference Rates Committee. February.

ISDA. 2006. *2006 ISDA Definitions*. International Swaps and Derivatives Association, Inc.

ISDA. 2018. *Supplement number 57 to the 2006 ISDA Definitions*. International Swaps and Derivatives Association, Inc. 16 May.

금리스왑(IRS)

제23편 SOFR 다리 이자 계산을 직접 해보자!

이번 편에서는 아래의 일복리(daily compounding) 수식을 사용, SOFR 스왑의 변동금리(Floating Rate)가 일반적으로 어떻게 계산되는지 간단한 예시를 통해 쉽게 알려주려 한다.

$$Annualized\ Compound\ Rate = \left[\prod_{i=1}^{d_0}\left(1 + \frac{SOFR_i \times n_i}{360}\right) - 1\right] \times \frac{360}{d} \tag{1}$$

심플함을 위해 이자 금액의 '계산기간(Calculation Period)'이 단 일주일(= 7 calendar days)이고, 각 일자에 해당하는 SOFR 금리의 고시 값들이 아래의 Table 1과 같다는 가정을 해 보자. 위의 수식 (1)에 의거하면 해당 일주일 동안의 기간에 적용하는 '연이율로 환산된' 변동금리는 다음과 같이 계산될 수 있다:

〈Table 1〉

날짜 (Value Date)	SOFR 금리 (%, 연이율)
'19년 1월 7일 (월)	2.41
'19년 1월 8일 (화)	2.42
'19년 1월 9일 (수)	2.45
'19년 1월 10일 (목)	2.43
'19년 1월 11일 (금)	2.41
'19년 1월 12일 (토)	–
'19년 1월 13일 (일)	–

※ 위의 SOFR 금리들은 ARRC (2021)의 예제에서 사용된, 과거에 실제 고시된 값들이다.

$Annualized\,Compound\,Rate\,(USD-SOFR-COMPOUND):$

$$\left[\left(1+\frac{2.41\%}{360}\right)\times\left(1+\frac{2.42\%}{360}\right)\times\left(1+\frac{2.45\%}{360}\right)\times\left(1+\frac{2.43\%}{360}\right)\times\left(1+\frac{2.41\%\times3}{360}\right)-1\right]$$
$$\times\frac{360}{7}$$

$$\approx 2.42042\%$$

어떤가? 그냥 계속 곱해나가는 게 다다. 위의 수식을 간단히 말로 풀자면, 이자 계산기간 동안 매 영업일마다 '일복리'를 적용시킨 후 이를 다시 '연환산(annualize)' 시키는 과정이라 할 수 있겠다. *(수식을 자세히 보면 영업일이 아닌 휴일 기간 동안은 '일복리'를 적용하지 않음을 알 수 있다.)*

또한 너무 당연한 소리일 수도 있겠지만, 위로부터 도출된 값으로 해당 기간의 이자 금액을 산출하려면 'Day Count Fraction(= 7/360)'을 다시 곱해줘야 할 거다. 참고로, 처음부터 아예 수식 (1)의 마지막에 붙은 연환산 인자인 '360/d'를 제거한, '연환산되기 전'의 산출 금리를 'UCR(= Unannualized (Cumulative) Compound Rate)'이라는 명칭으로 부르기도 한다:

$$Unannualized\,(Cumulative\,)Compound\,Rate = \left[\prod_{i=1}^{d_0}\left(1+\frac{SOFR_i\times n_i}{360}\right)-1\right]$$

$$\left[\left(1+\frac{2.41\%}{360}\right)\times\left(1+\frac{2.42\%}{360}\right)\times\left(1+\frac{2.45\%}{360}\right)\times\left(1+\frac{2.43\%}{360}\right)\times\left(1+\frac{2.41\%\times3}{360}\right)-1\right]$$

$$\approx 0.047064\%$$

위의 수식과 (1)과의 차이는 연환산을 했냐, 안 했냐에만 있다. 현재까지 이해하는 데 별로 어려운 건 없었을 거다. *그냥 산수 좀 한 것뿐이니깐...* 근데 생각해 보면 이 자기간이 좀 많이 길어지면 질수록 필요한 입력(input) 값들의 수가 너무 많아지는 점이 문젯거리가 될 수는 있겠다. 예를 들어 이자 계산기간이 1달에서 3달, 반년, 혹은 1년으로 가면 갈수록 필요한 입력 값들의 수가... ㅎㄷㄷ... ㅎㄷㄷ... 따라서 계산 혹은 입력 에러가 발생할 확률도 높아질 거고, 이러한 문제는 특히 다소 어리 바리한(?) 백오피스(Back Office; BO)를 가진 일부 소규모 금융기관들에게는 골칫 거리로 자리매김할 수도 있는 부분이다... *(이미 잘 구축된 BO 시스템이 문제없이 돌아 간다면야 별 상관없겠지만. 입력해야 할 input들의 수가 많아질수록 실수할 여지, 혹은 거래 상대방과의 분쟁이 발생할 여지가 많아짐은 분명한 사실이다. 실제로 결제 실수는 꽤 자주 발생하곤 한다. 비(非)표준(non-standard) 거래들에서 특히나...)*

과거 LIBOR 기반 스왑의 경우엔 3개월 혹은 6개월마다 한 번씩만 픽싱하고 그걸 그대로 가져다 쓰면 되니깐 상대적으로 편했는데, SOFR 기반으로 전환하면서 이렇 게 필요한 입력 값 수의 증가와 함께 계산 과정이 좀 쓸데없이 복잡하고 귀찮게 된 형국인 거다. 그래서일까... 매일 SOFR를 고시하고 있는 뉴욕 연은(Fed)은 일부 사용자들의 편의를 위해 과거 30일, 90일, 180일 동안 산출된 평균값, 그리고 'SOFR Index' 등을 추가적으로 웹사이트에 매일 고시하는 중이다.

특히나 'SOFR Index'는 위의 예에서와 같은 직접적인 계산의 과정 없이도 사용자가 원하는 특정 기간의 'UCR' 산출을 가능케 한다. 처음과 마지막 날짜의 SOFR Index 값 두 개만 알면 단순히 나누기와 빼기만으로 UCR의 산출이 가능하다는 얘기다.

어디 그럼 SOFR Index 데이터를 가지고 실제로 확인해 볼까? 이번엔 아래의 2022년도 고시 값들을 사용해서 같이 함 계산해 보자:

〈Table 2〉

날짜 (Value Date)	SOFR 금리 (%, 연이율)	SOFR Index
'22년 3월 15일 (화)	0.05	1.04248653
'22년 3월 16일 (수)	0.05	1.04248798
'22년 3월 17일 (목)	0.30	1.04248943
'22년 3월 18일 (금)	0.30	1.04249812
'22년 3월 19일 (토)	–	–
'22년 3월 20일 (일)	–	–
'22년 3월 21일 (월)	0.29	1.04252418
'22년 3월 22일 (화)	(필요 없음)	1.04253258

Data Source: 뉴욕 연은(Fed) 웹사이트

자, 먼저 이자 계산기간이 3월 15일 (화)부터 일주일(= 7 calendar days) 동안이라 가정하고, 앞에서 소개했던 수식을 사용해서 이 기간의 'UCR'을 계산해 보자:

$$Unannualized\,(Cumulative)\,Compound\,Rate = \left[\prod_{i=1}^{d_0}\left(1 + \frac{SOFR_i \times n_i}{360}\right) - 1\right]$$

$$\left[\left(1 + \frac{0.05\%}{360}\right) \times \left(1 + \frac{0.05\%}{360}\right) \times \left(1 + \frac{0.30\%}{360}\right) \times \left(1 + \frac{0.30\% \times 3}{360}\right) \times \left(1 + \frac{0.29\%}{360}\right) - 1\right]$$

$$\approx 0.004417\%$$

이번엔 'SOFR Index'를 사용해서 똑같은 걸 함 계산해 보자. 근데 아차차... 이 인덱스가 뜻하는 게 뭔지에 대한 부가 설명을 필자가 안 해준 듯... *아이엠 쏘리여~* 인덱스의 3월 15일과 3월 22일 자 값들을 예로 들어 설명하자면, SOFR 복리 예금에 원금 $1.04248653을 넣으면 15일을 포함해서 총 7일 동안 이자가 붙어 원리금 총액이 일주일 후엔 $1.04253258 상당으로 늘어난다는 뜻으로 해석하면 된다. UCR 수식의 일복리 계산을 이 인덱스가 우리 대신 해주는 셈이다. 따라서 이 경우 UCR은 인덱스 값 두 개를 써서 아래와 같이 '간편하게' 계산될 수 있다:

$$Unannualized\,(Cumulative)\,Compound\,Rate$$

$$= \frac{SOFRIndex_{final}}{SOFRIndex_{initial}} - 1$$

$$= \frac{1.04253258}{1.04248653} - 1$$

$$\approx 0.004417\%$$

예상했던 대로 앞의 직접 계산 값과 유사한 값이 도출됨을 볼 수 있다. 여기서 초보자가 헷갈릴 부분을 잠시만 짚어주자면, 인덱스의 초기(initial) 값으로 15일 자로 고시된 값을 쓰는 게 맞지만, 마지막 인덱스 값은 21일이 아니라 22일에 고시된 값을 사용해야 된다는 점일 게다. 뭔가 하루치가 밀린 느낌이랄까? 근데 사실 위의 Table 2에서 16일 자 인덱스는 15일 자 인덱스에 0.05% p.a.의 이자가 붙은 값이고, 17일 자 인덱스는 16일 자 인덱스에 0.05% p.a.의 이자가 붙은 값, 18일 자 인덱스는 17일 자 인덱스에 0.30% p.a.의 이자가 붙은 값... etc. etc. 을 나타내기 때문에 '총 7일' 동안 일복리가 적용된 값은 21일 자가 아니라, 바로 22일 자의 인덱스 값이 맞다... *휴우~~~ 필자도 이런 거 넘 싫다... 참 뒤지게도 헷갈리는 세상이다...*

암튼 이렇게 SOFR Index를 사용해서 해당 기간에 적용되는 변동금리를 쉽게 구할 수는 있지만, 이걸 실제 이자 금액 산출에 적용시키기엔 정확도(precision)가 다소 떨어신다는 '단점'이 있다 할 수 있겠다. 왜냐고? 저 매일매일 고시되는 인덱스가 소수점 8번째 자리까지만 반올림(rounding) 되어 고시되기 때문이다. 데이터 제공자인 New York Fed (2022) 또한 이러한 'Rounding Error' 가능성에 대해 언급하며 정식 계산 값과 인덱스를 이용한 단순 계산 값에 작은(?) 차이가 존재할 수 있음을 시사하고 있다.

※ '반올림'으로 인한 금액 차이는 또한 이자 금액 계산 시 'UCR'을 쓰지 않고 수식 (1)에 기초해 계산된 연환산된 이율(= Annualized Compound Rate)에 다시 'Day Count Fraction'을 곱하게 되는 과정에서도 미세하게나마 발생할 수 있다. 적용하는 (퍼센터지로 표현된) 연이율은 반올림 후 소수점 5번째 자리까지만 사용하는 것이 일반적이기 때문이다.

그럼 결국 요 인덱스는 정확도가 떨어지니 참고(reference)용, 만약의 경우를 위한 아ᄈᆞᆯ빠른 재확인(double-check)용 정도밖에는 안 되는 겨??? 휴우~~~ 그럼 우리 지금까지 삽질한 겨??? (-_-;) 필자가 시간 낭비한 겨??? ㅠㅠ

뭐, 시간 낭비랄 것까지야... ㅎㅎㅎ 이것도 해보고 저것도 해보면서, 삽질도 하면서 배워나가는 거지, 뭐. *인생이 원래 그렇다~* 그래도 위에서의 삽질을 통해서 뭔가 SOFR 스왑의 '픽싱 메커니즘'이 머릿속에 잘 새겨지지 않았나? 필자가 누누이 말하지만, 저런 것도 본인이 직접 발과 손으로 계산해 보고 해야지만 100% 자기 것으로 만들 수 있대니... *특히나 '문과생 마인드'들은 더욱더...*

재미없는 산수는 여기서 끝내고, 다음 마무리 편에서는 'LIBOR 스왑'과 'SOFR 스왑' 간의 주요 차이점들을 간단 정리해주는 시간을 가져보도록 하겠다. 간만에 산수 문제 푸느라 모두들 고생 많았다.

References

ARRC. 2021. "An Updated User's Guide to SOFR." The Alternative Reference Rates Committee. February.

ISDA. 2006. *2006 ISDA Definitions.* International Swaps and Derivatives Association, Inc.

ISDA. 2018. *Supplement number 57 to the 2006 ISDA Definitions.* International Swaps and Derivatives Association, Inc. 16 May.

New York Fed. 2022. "Additional Information about Reference Rates Administered by the New York Fed." Federal Reserve Bank of New York. Last updated: 24 Jan. https://www.newyorkfed.org/markets/reference-rates/additional-information-about-reference-rates#sofr_ai_calculation_methodology

금리스왑(IRS)

제24편 SOFR OIS? LIBOR IRS? 마무리 편

이번 편에서는 과거의 시장 스탠더드였던 LIBOR 스왑과 현 SOFR 스왑 간의 주요 차이점들을 총 6개의 포인트로 추려서 간단 정리해주려 한다. 지난 편들에서 잡담이 너무 많았던 관계로 반성하는 의미에서 이번엔 본론으로 바로 들어간다:

차이점 ①
LIBOR Swap은 IRS이지만 OIS는 아니다.
SOFR Swap은 IRS이면서 OIS이기도 하다.

사실 너무 당연한 내용이긴 한데, 헷갈릴 수 있는 일부 초보자들을 위해 기본 팩트를 다시금 정리해 봤다. 지난 편들에서 이미 여러 번 언급했지만, 'OIS'는 'Overnight Index Swap'의 약자로, '금리스왑(Interest Rate Swap; IRS)' 중 변동금리 다리(Floating Leg)가 익일물(Overnight Rate)에 연계된 것들을 지칭하는 용어이다. 즉, OIS는 IRS의 한 종류로, 모든 OIS는 IRS이지만, 반대로 모든 IRS가 OIS인 건 아니라 얘기할 수 있겠다.

SOFR 연계 파생상품이 출시되기 전에는 달러물 'OIS'라 함은 자동적으로 '연방기금금리(더 정확히는 Effective Federal Funds Rate; EFFR)'에 연계된 금리스왑을 의미했었다. 그러나 SOFR 상품이 출시된 이후부터는 'OIS'라고만 하면 이게 도대체 SOFR 연계 스왑인지, 아님 EFFR 연계 스왑인지가 불분명해져 버린 관계로, 근래에는 'SOFR-OIS'처럼, 좀 더 명확하게 구분되어 표현되고 있다. *(참고로 최근까지도 그냥 OIS라고만 하면 EFFR 연계 OIS를 의미할 가능성이 조금 더 높아 보인다.)*

또한 과거 LIBOR 전성시대(?)에는 IRS라 하면 일반적으로 3개월(혹은 6개월) 만기 LIBOR에 연계된 스왑을 자동적으로 의미했지만, SOFR 연계 스왑이 LIBOR 연계 스왑의 지위를 완전히 대체하게 되면서, 'IRS' 상품군을 대표하는 구조가 'SOFR-OIS'로 자리매김한 상황이라 정리해 볼 수 있겠다. *휴우~~~ 이제 100% 이해 되제??? 이거 쓸데없이 헷갈린대니~~~ ㅎㅎㅎ*

차이점 ②

LIBOR Swap의 변동금리는 (대표적인 3개월 LIBOR의 경우) 분기별로 픽싱되며, 각 이자기간 전에 미리 정해진다. (= Fixing in Advance)
SOFR Swap의 변동금리는 이자기간 동안 매일 픽싱한 후, 일복리(Daily Compounding) 수식에 기초해 이자기간(= 통상 1년)의 말미에 산출한다. (= Compounded in Arrears)

두 번째 차이점은 변동금리를 관찰해서 정하는 방법에 있다. LIBOR Swap의 경우는 매 분기 픽싱되며(대표적인 3개월 LIBOR 의 경우), 각 이자 계산기간 시작 전에 미리 정해졌다. 그러나 SOFR 스왑의 경우엔 다소 복잡한 메커니즘이 사용되며, 이자 계산기간(= 통상 1년) 동안 매일 고시되는 일일 SOFR 값들을 가지고 [지난 편에서 자세히 보여줬듯이] 일복리 수식에 기초해 해당 기간의 말미에 산출한다. 이러한 방식을 업계에서는 'Compounded in Arrears'라 칭하기도 한다.

※ 'in arrears'는 'in advance'의 반대 개념이다. 전자는 뭔가 나중에 하는 걸 의미하고 후자는 뭔가 미리 하는 걸 의미한다고 생각하면 쉽다.

1년 만기 스왑을 예로 들어 보자. 3개월 LIBOR 연계 스왑의 경우엔 거래일을 포함해 3개월 후, 6개월 후, 9개월 후를 즈음해서 총 4번의 변동금리 픽싱을 하게 된다(= 따라서 변동금리 다리의 이자도 1년에 총 4번을 지급한다). 반면 SOFR 스왑의 경우엔 이자 계산기간의 말미까지 기다렸다가 1년 치의 모든 관찰 값들을 가지고 적용금리를 산출하게 된다. 당연히 이 경우 변동금리 다리의 이자 지급도 1년에 한 번만 이루어진다.

일각에서는 SOFR 스왑의 변동금리 산출 방식이 픽싱 리스크를 줄이는 장점이 있다고 얘기하기도 한다. 이는 뭐랄까,,, 금융 시장의 변동성이 극도로 심한 시기에는 말도 안 되게 비정상적으로 높거나 낮은 금리 픽싱들이 단기적으로 관찰될 수도 있기 때문이다. LIBOR 스왑의 경우엔 픽싱을 하는 날의 비정상적인 금리 흔들림 리스크에 노출되어 있지만, SOFR 스왑의 경우에는 이자기간 동안 매일매일 고시되는 수많은 관찰 값들을 모아 평균을 내어 산출하는 방식이기 때문에, 앞서 언급한 상황이 단기적으로 발생하더라도 그 임팩트가 상대적으로 크지 않을 것이라는 주장이다.

차이점 ③
LIBOR Swap에는 '-2 Day Fixing Lag'이 존재하고,
SOFR Swap에는 '+1 Day Fixing Lag'이 존재한다.

'-2 Day Fixing Lag'에 관해서는 이미 지난 22편에서 자세히 설명했었다. 간단히 말하면, LIBOR 스왑의 경우엔 이자 계산기간보다 며칠 앞서서 LIBOR 금리를 픽싱시켰었다. 즉, 이자 계산기간의 시작일로부터 '이틀 전'에 고시된 값을 해당 기간에 적용할 변동금리로 사용하는 것이 마켓 스탠더드였던 것이다.

비록 업계에서는 위의 LIBOR 픽싱의 경우와 라임(?)을 맞추기 위해 SOFR Swap의 경우에도 '+1 Day Fixing Lag'이란 것이 존재한다고 표현하고 있지만, 이런 표현은 초보자에게 쓸데없는 헷갈림을 일으킬 수 있기에 필자는 별로 좋아하지 않는다. *필자 혼자 싫어해봐야 아무도 상관 안 하는 거 알지만... 쿨럭. (-_-;)* 이보다는 '+1 Day Publication Lag'이라 칭하는 것이 더 올바른 표현이라 본다. SOFR 픽싱에서의 '+1 Day Lag'은 사실 해당 금리가 당일이 아니라 다음날 고시되는 것을 의미한다. 그니깐 오늘 자 SOFR 금리는 내일 오전에 고시된다는 얘기다. 내일 자 SOFR 금리는 모레 오전에 고시되고... etc. etc.

뭐랄까 고시(publication)가 하루씩 늦어지는 것일 뿐이니깐 이걸 'Fixing Lag'이라고 표현해 버리면 뭔가 의미가 왜곡될 가능성이 있기에 좀 더 명확하게 'Publication Lag'이라고 칭하는 게 맞을 듯싶은데... *쩝... 이놈의 불친절하고 헷갈리는 세상...* 암튼 SOFR 금리 고시에 있어서 이렇게 랙(lag)걸리는(?) 현상은 국제스왑파생상품협회가 발간한 ISDA (2018)의 SOFR 금리의 정의에 잘 기술되어 있다:

"SOFR$_i$", for any day "i" in the relevant Calculation Period, is a reference rate equal to SOFR in respect of that day <u>as published on or about 8:00 a.m.</u> New York City time, <u>on the</u> U.S. Government Securities <u>Business Day immediately following that day "i"</u>.

즉, 오늘의 SOFR 금리는 '내일 오전 8시 즈음해서 고시되는 값'이라는 얘기를 아주 어렵게 하고 있는 거다. 업계 일각에서는 이를 '+1 Day Fixing Lag'이라는 다소 헷갈리는 용어로 표현하고 있는 거고...

※ 뉴욕 연은의 웹사이트에 가보면 헷갈림을 좀 더 줄여주기 위해 'Value Date'라는 용어를 쓰고 있음을 볼 수 있다. 예를 들어 3월 25일 자로 8시 즈음에 고시(publish)되는 값은 'Value Date = 3월 24일'인 SOFR 금리를 의미한다.

차이점 ④
LIBOR Swap의 고정금리 Leg는 6개월마다 이자를 지급한다.
SOFR Swap의 고정금리 Leg는 1년마다 이자를 지급한다.

스탠더드한 LIBOR 스왑의 경우엔 고정금리를 6개월마다 지급했었다. 이는 3개월마다 픽싱되고 이자가 지급되는 '3개월 만기 LIBOR'에 연계된 변동금리 다리의 지급주기(payment frequency)와의 미스매치를 의미한다. 반면, SOFR 스왑의 경우엔 변동금리 다리와 고정금리 다리의 이자 지급 주기가 모두 1년으로 동일하다.

SOFR 스왑 다리들의 지급 주기가 동일함은, 특히나 무담보(uncollateralized) 거래들에 수반되는 거래상대방 크레딧 리스크(credit risk)를 경감시킬 수 있다는 장점뿐 아니라, ISDA 주계약서(Master Agreement)하에서는 동일 거래에서 동일 일자에 주고받는 동일 통화의 금액들이 서로 네팅(Netting; 차감)되어 정산되는 것이 스탠더드이기에, 오퍼레이션(Operation) 측면에서도 장점으로 다가온다 할 수 있겠다. 매 3개월, 혹은 6개월마다 결제가 일어나지 않아도 된다는 점까지 포함해서 말이다. 단, 지난 편에서도 지적했듯이 SOFR 복리 계산에 실수 없도록 백오피스(BO) 시스템이 잘 구축돼있다는 전제하에서다. 이거 일일 픽싱(daily fixing)이 제대로 관리 안 되면 말짱 꽝이다...

차이점 ⑤

LIBOR Swap의 고정금리 Leg의 Day Count Convention은 30/360이지만,
SOFR Swap의 고정금리 Leg의 Day Count Convention은 Act/360이다.

LIBOR 스왑의 변동금리 다리와 SOFR 스왑의 변동금리 다리는 모두 미국의 단기 자금 시장(Money Market) 컨벤션인 'Actual/360' 방식의 적수 계산법(Day Count Convention)에 의거해 이자 금액이 계산된다. SOFR 스왑의 경우에는 고정금리 다리 또한 'Actual/360'이 적용되어 변동금리 다리의 그것과 동일하지만, LIBOR 스왑의 경우엔 고정금리 다리에 '30/360'의 컨벤션이 적용됐었다. 어찌 보면 별 중요하지 않은 사항이긴 하지만, 이러한 적수 계산법의 차이는 거래의 명목 금액(Notional Amount)이 클 경우엔 결제금액(Settlement Amount) 상의 유의미한 차이로 이어질 수 있기에 여러 다른 점 중 하나로 언급하였다.

차이점 ⑥

LIBOR Swap은 이자 금액이 미리 산출되므로 이자 지급일을 미루지 않지만,
SOFR Swap은 이자 금액이 기간의 끝에서야 산출되므로 이자 지급일을 이틀 뒤로
미룬다. (= +2 Day Payment Lag)

LIBOR 스왑의 경우엔 'Payment Delay' 혹은 'Payment Lag'이라 불리는 '지급을 뒤로 미루는 행위'가 불필요했다. 왜냐하면 이자 금액이 지급일보다 훨씬 전에 미리 정해지기 때문이다. 따라서 결제를 '준비할 시간'이 충분하다. 예를 들어 3개월 LIBOR에 연계된 변동금리 다리는 이자를 3개월마다 지급하지만, 정확한 지급 금액은 금리의 픽싱 시점인 대략 3개월 전에 미리 알 수 있다. 고정금리 다리야 당

연히 거래 시점부터 미리 모든 미래 금액들의 산출이 가능하고...

그런데 SOFR 스왑의 변동금리 다리는 그렇지 않다: 만약 2022년 3월 28일이 첫 이자 계산기간(Calculation Period)의 시작일이라 가정한다면, 해당 이자 계산기간의 마지막 날은 2023년 3월 27일이 되며, 그 바로 다음 날인 28일이 이자 지급일(Payment Date)이 되는 것이 원래는 정상적인 방식일 것이다. 그런데!!! 앞에서 이미 설명했듯이, SOFR에는 '+1 Day Fixing(Publication) Lag'이란 것이 존재한다. 이는 필요한 모든 SOFR 입력 값들을 아는 건 28일 오전에서야 가능하며, 따라서 「마지막 금리 픽싱 작업 + 이자 금액 계산 작업 + 실제 자금 집행」까지 모두 같은 날 한꺼번에 처리하는 과정에서 '과부하'가 걸릴 수 있음을 시사한다.

수반되는 결제 리스크를 조금이라도 줄이기 위해 SOFR 스왑에서는 지급일을 이틀 뒤로 억지로 미루는, '+2 Day Payment Lag' 조건을 적용하는 것이 스탠더드로 자리매김했다.(*사실 이는 오랫동안 거래되어온 EFFR-OIS의 경우에서도 마찬가지로 적용돼 왔다.*) 즉, 위의 예에서 2023년 3월 28일 날에 이자를 지급하지 않고, 이틀 더 미뤄서 30일 날 이자를 지급하는 방식을 채택한 것이다. 이런 'Payment Delay'는 물론 '변동금리 다리 vs. 고정금리 다리' 사이에 미스매치가 없도록 양다리(?)에 똑같이 적용하고 있다.

추가적으로 ISDA (2021)는 방금 설명한 'Delayed Payment' 방식뿐 아니라 오퍼레이션(Operation) 상의 부담을 덜어주기 위한 다른 가능한 방식들도 몇 가지 제안한 바 있다. 예를 들어 각 픽싱 값을 각 픽싱 일자의 며칠 전(예: 5 영업일 전) 것으로 갈음하되, 영업일 적용은 실제 계산기간(Calculation Period)에 의거하는 'Lookback'방식, 그리고 'Lookback' 방식과 유사하지만, 금리 산출 시의 영업일 적용까지 과거 기간에 의거해서 하는 'Observation Period Shift' 방식, 그리고 마지막 며칠 동안은 관찰을 하지 않고, 관찰 중단 직전의 값으로 갈음해 버리는 'Lockout' 방식 등등... 여러 가지 다양한 방법들이 존재하나, 현재 스왑 시장에서 널리 쓰이는 스탠더드는 맨 처음 설명한 심플한 'Delayed Payment' 방식이라 정리해 볼 수 있겠다.

휴우~~~ 이제 두 스왑들의 주요 차이점에 관해서 대충 다 기술한 것 같다... SOFR 스왑 디테일과 관련해서 더 쓸 얘기야 무궁무진하지만, 초보자들에게 필요한 기초 지식들은 대부분 커버했다고 본다. 다음 페이지의 부록 섹션에서 [산수 좋아하는 이들을 위해] SOFR 스왑 커브의 부트스트래핑 과정을 간단한 수식의 형식으로 보여주며 이번 편을 끝맺으려 한다. 시장이 새로운 스탠더드로 전환(Transition)되면서 뭔가 쓸데없는 복잡함만 많이 늘어난 듯하다... 옛날 사람인 늙은 필자는 아직도 LIBOR가 더 정감 가고 좋다... *Time flies...* ㅠㅠ

⟨24편 부록⟩

'부트스트래핑(Bootstrapping)'을 통해 SOFR OIS 커브로부터 각 시점별 할인인자 (Discount Factor; DF)들을 추출하는 방법은 지난 19편에서 보여줬던 LIBOR IRS 커브의 경우와 별반 다를 바 없다. 물론 실제 Curve Building 작업은 상당히 복잡다단한 과정을 거치치만, 본 부록에서는 입문자들을 위한 [교과서적인] 단순 OIS 커브 부트스트래핑 방법을 한눈에 들어오는 수식으로 간단 정리해주려 한다.

먼저, 시장에서 n년 만기(e.g. 1년 만기, 2년 만기, 3년 만기...)의 SOFR OIS 스 왑 금리(= 고정금리)들이 관찰되고, 스왑 각 다리(leg)의 지급 주기 또한 마켓 스탠 더드인 '연간(annual)'이라 가정해보자. 만약 n년 만기 SOFR 스왑 금리(단위: %)를 'OIS$_n$'이라 표현한다면, [지난 19편에서 이미 보여준 바와 같이] 커브의 부트스트래 핑 작업은 Par 채권의 경우와 마찬가지로 모든 'n'에 대하여 다음의 등식이 성립한 다는 가정에 기초한다:

$$\sum_{i=1}^{n} OIS_n \times T_i \times DF_i + 100 \times DF_n = 100 \qquad (1)$$

where

$OIS_n = n$년 만기 $SOFR$ 스왑 금리 (단위 : %)
$T_i = i$번째 현금 흐름에 대한 *Day Count Fraction*
$DF_i = i$번째 현금 흐름에 대한 할인인자
$DF_n = $ 만기 현금 흐름에 대한 할인인자
$n = $ 스왑 만기; 현금 흐름 지급 총 횟수

19편의 예제에서처럼 가장 짧은 만기부터 하나씩 풀어나갈 수도 있지만, 각 시점별 할인인자(DF$_i$)들을 찾는 과정은 행렬(matrix) 형태의 연립방정식으로 한 번에 표현 가능하다. 예를 들어 시장으로부터 1년, 2년, 그리고 3년 만기까지의 OIS 스왑 금리들이 관찰될 경우, 수식 (1)은 다음과 같이 재표현할 수 있을 것이다:

$$\begin{bmatrix} OIS_1 \times T_1 + 100 & & \\ OIS_2 \times T_1 & OIS_2 \times T_2 + 100 & \\ OIS_3 \times T_1 & OIS_3 \times T_2 & OIS_3 \times T_3 + 100 \end{bmatrix} \begin{bmatrix} DF_1 \\ DF_2 \\ DF_3 \end{bmatrix} = \begin{bmatrix} 100 \\ 100 \\ 100 \end{bmatrix} \tag{2}$$

여기서 미지수인 각 시점별 DF$_i$ 값들은 다음과 같이 역행렬(inverse matrix)을 사용해 한꺼번에 구할 수 있다:

$$\begin{bmatrix} DF_1 \\ DF_2 \\ DF_3 \end{bmatrix} = \begin{bmatrix} OIS_1 \times T_1 + 100 & & \\ OIS_2 \times T_1 & OIS_2 \times T_2 + 100 & \\ OIS_3 \times T_1 & OIS_3 \times T_2 & OIS_3 \times T_3 + 100 \end{bmatrix}^{-1} \begin{bmatrix} 100 \\ 100 \\ 100 \end{bmatrix} \tag{3}$$

References

Barnes, Chris. 2020. "SOFR Swap Nuances." Clarus Financial Technology. Last updated 16 Sep. https://www.clarusft.com/sofr-swap-nuances/

Clarke, Justin. 2010. "Constructing the OIS Curve." Edu-Risk International.

ISDA. 2018. *Supplement number 57 to the 2006 ISDA Definitions.*

International Swaps and Derivatives Association, Inc. 16 May.

ISDA. 2021. "Documenting RFR Derivatives Using Different Approaches to Compounding/Averaging under the 2006 ISDA Definitions." International Swaps and Derivatives Association, Inc.

New York Fed. 2022. "Additional Information about Reference Rates Administered by the New York Fed." Federal Reserve Bank of New York. Last updated 24 Jan.
https://www.newyorkfed.org/markets/reference-rates/additional-informati on-about-reference-rates#sofr_ai_calculation_methodology

Rigopoulos, Ioannis. 2020. "SOFR OIS Pricing and Riskless USD Curve Construction in light of the Impending USD LIBOR Discontinuation." BTRM Working Paper Series No 15. December.

금리스왑(IRS)

제25편 기존 LIBOR 거래들은 근디 어쩐댜?

여기까지 열공한 독자들은 아마도 LIBOR로부터 SOFR로의 대전환 이후 [만기가 도래하지 않은] 기존의 LIBOR 연계 거래들은 그럼 어찌 됐는지 혹은 어찌 될 건지에 관한 궁금증이 들 수 있겠다. *아니라꼬? 하나도 안 궁금하다꼬? 쿨럭. (-_-;)* 비단 스왑 같은 파생상품뿐만 아니라 오랜 기간 전 세계적으로 무수히 많은 금융 계약들에 LIBOR 금리가 사용되어왔기에 금리의 고시가 중단될 경우 금융 시장에 큰 혼란이 발생할 실제적 위험이 존재했음은 두말하면 잔소리겠다. 따라서 금융 업계 전반적으로 그러한 혼란을 줄이기 위한 노력들이 꽤 일찍부터 이어져 왔다.

가장 발 빠르고 질서정연하게 움직였던 건 바로 파생상품 업계였다; 국제스왑파생상품협회(ISDA)는 지난 2020년 'IBOR Fallbacks Protocol'(이하 'IBOR 프로토콜') 및 관련 부속서류(Supplement)들을 발표한다. 이는 시장참여자들이 IBOR 프로토콜을 준수한다는 동의서만 제출하면 거래상대방 양자 간에 일일이 계약서를 수정하는 과정 없이도 ISDA가 만든 표준 방법론에 따라 기체결된 거래들의 LIBOR 픽싱이 자연스레 이루어지도록 만들기 위함이었다. *물론 거래상대방 또한 'IBOR 프로토콜' 준수 기관이라는 전제하에서다.*

주요 만기의 USD LIBOR들이 최종적으로 2023년 6월 말까지만 고시되었기 때문에 그 후 시점부터 시장은 결제에 필요한 LIBOR 픽싱 값들을 ISDA의 방법론을 따라 계산해오는 중이다. 물론 계약 당사자들이 이를 번거롭게 직접 계산해야하는 건 아니고, 블룸버그 인덱스 서비스(BISL)라는 회사가 대신 도맡아서 매 영업일마다 시장 참여자들을 위해 친절히 고시해주시고 계시다.

근데, 그 방법론이 궁금하다고? 궁금한 이들을 위해 쪼께만 알려주자면, 더 이상 호가가 제시되지 않는 LIBOR의 대체금리(Fallback Rate)는 이제 「SOFR + 스프레드」의 수식으로 산출된다. 3개월 LIBOR를 예로 들어 보자. 수식에서 앞의 SOFR 값은 해당 이자 계산기간(= 3개월) 동안 관찰되는 일일 SOFR 값들을 가지고 지난 23편에서 보여줬던 '일복리' 수식에 기초해 계산기간의 말미 즈음에 산출 및 확정된다.(= compounded in arrears) 단, 지난 편에서 언급했던 것처럼 이자 지급일 당일에 가서야 필요한 모든 입력 값들을 알 수 있다면 당일 결제 작업에 과부하가 걸릴 리스크가 크다. 이를 피하기 위해 ISDA는 이자 계산기간의 시작과 종료일을 원래보다 약 이틀 앞으로 강제로 땡기는(?) 조정을 가한다고 설명한다. 이러한 조정은 '2 Day Backward Shift'라고 불리며, 적어도 이자 지급일의 '2 영업일 전'에는 대체금리를 고시할 수 있게 만드는 데 그 목적이 있다. *이는 또한 24편에서 언급했던 여러 방법들 중 'Observation Period Shift' 방식과 같다고 할 수 있다.*

근데 여기서 뒤에 더해주는 스프레드란 건 또 뭘까? LIBOR는 은행 '신용 리스크'가 녹아있는 '기간물' 금리가 아니던가... 따라서 '익일물' 국채 '담보부' 금리인 SOFR보다 더 높아야 정상이다. SOFR의 억지 LIBOR化(?)를 위해 이렇게 추가로 더해주는 스프레드는 'Spread Adjustment', 'Adjustment Spread', 'Credit Spread Adjustment(CSA)' 등의 이름으로 불리며, 지난 2021년 3월 5일 자로 권장되는 값들을 BISL이 산출해 시장에 공표한 바 있다. BISL이 공표한 이 스프레드 값들은 또한 'ARRC Spread' 혹은 'ISDA Spread' 등의 이름으로도 불리는데, 공표 일자 전 5년간 관찰된 역사적 데이터의 중앙값(median)에 기반해 산출된 값들이다. 아래의 Table 1에 주요 만기별 LIBOR 대체금리 계산을 위해 SOFR에 더해 주는 ARRC/ISDA 스프레드 값들을 정리해 보았다:

〈Table 1: 주요 만기별 ISDA Spread〉

인덱스 만기	Spread Adjustment (%)
1개월	0.11448
3개월	0.26161
6개월	0.42826
12개월	0.71513

Source: Bloomberg (2021)

따라서 '3개월 LIBOR' Fallback Rate의 경우 3개월간의 일복리를 적용한 (연환산된) SOFR 금리에 '0.26161%'를 더해서 산출한다 정리할 수 있겠다. 물론 편의상 이자 계산기간 전체를 이틀 정도 앞으로 당긴 후에 말이다. *이제 대충 정리됐는교???*

파생상품 업계 전반적으로 'IBOR 프로토콜'을 준수하게 되면서 기체결된 LIBOR 연계 거래들의 픽싱이 위와 같은 방식으로 이루어지는 것이 정석이지만, 엄밀히는 이는 '비(非)청산' 파생상품들에만 해당되고, CME나 LCH 같은 중앙청산소(CCP)를 통해 '청산되는' 파생상품들(= 'cleared' derivatives)에 있어서는 이와는 조금 다른 방식이 적용되었다는 사실 또한 알려주고 싶다. CME와 LCH 등지에서 LIBOR 파생상품 거래들의 SOFR 형태로의 전환은 2023년 2분기 중에 대대적으로 이루어졌는데, 그 과정에서 ISDA의 '2 Day Backward Shift' 방식 대신 이자 계산기간은 그대로 놔두고 이자 지급일만 이틀 뒤로 미루는 '+2 Day Payment Lag' 방식이 적용되었다. 이는 전환 후의 거래 컨벤션과 현 SOFR OIS 마켓 컨벤션 간의 일관성을 유지시키기 위함이겠다. 물론 각 만기별로 적용하는 'Spread Adjustment' 값을 포함, 나머지 전환 디테일들은 ISDA의 방식과 유사하다.

자, 그럼 다소 복잡다단한 '파생상품' 관련해서는 대충 정리됐으니, 기업 대출과 같은 'Cash 금융상품'들의 얘기를 이제 해볼까 한다. 이들도 파생상품의 경우처럼 LIBOR 금리가 「SOFR(Compounded in Arrears) + Spread Adjustment」 형식으로 일괄 전환되었을까나? *What do you think??? 암 생각 없다꼬라? 쿨럭.* 사실 대출 같은 비(非)파생상품(= Cash 상품) 쪽은 파생상품 시장보다 금융에 관한 전문성이 더 떨어지는(?) 참여자들이 다수이기에 ISDA의 전환 방식을 그대로 따르는 데 많은 불편함이 예상됐다.

Why? 그 이유는 이미 지난 편들에서 언급했었다; 이자 금액 계산을 위해서는 수많은 일일 SOFR 금리의 관찰 값들이 필요하고, 복잡한 일복리 수식을 사용해 계산을 해야 하며, 또한 이자 계산기간의 말미에 가서야 정확한 이자금액을 알 수 있지 않나... ISDA가 도입한 방식인 '2 Day Backward Shift'를 적용시킨다고 하더라도 미래의 현금 흐름을 미리미리 예측해서 준비해야하는 수많은 영세 기업 및 사업체들은 이러한 방식을 피하고 싶어 했음은 어찌 보면 당연하다. 따라서 Cash 상품 쪽에 맞는 뭔가 더 '단순한' 형식으로의 전환이 필요했다.

이러한 업계의 니즈에 맞춰 시카고상품거래소(CME)는 2021년, *참 잽싸게도* '기간물 SOFR(Term SOFR)'라는 이름의 새로운 금리 인덱스를 정식으로 론칭시킨다. 아마도 일부 독자들은 'SOFR는 태생상 익일물인데 어떻게 기간물 SOFR가 있을 수 있지?'라는 의문이 자연스레 머릿속을 파고들 거다. 뭐, 당연한 궁금증이겠다. SOFR는 하루치(Overnight) 금리인데, 1개월 SOFR, 3개월 SOFR, 6개월 SOFR라... 충분히 이상하게 생각될만하다...

이게 어떻게 계산되는지에 관한 자세한 디테일은 다음 편(= 26편)으로 잠시 미뤄두기로 하고, 궁금증 만빵의 '문과생' 초보자들을 위해 그 개념만 여기서 간략히 설명해주자면... 크흠... 혹시 '선도이자율'이란 개념 다들 기억나시는가? *지난 9편에서 소개했었던...* 기간물 SOFR는 바로 이 '선도이자율' 개념과 유사하다고 보면 된다. 예를 들어 '3개월 Term SOFR'는 시장에서 거래되는 금리선물들에 반영된 향후 3개월간 예상되는 SOFR 금리의 미래 움직임에 기초해 계산되는 값이다. 즉, 만약 3개월 Term SOFR가 5%에 고시된다면, 이는 선물 시장이 향후 3개월 동안 매일매일 관찰되는 일일 SOFR 금리들의 (복리)평균(Compounded Average)을 대략 5% 수준으로 전망한다는 뜻이라 생각하면 쉽다.

따라서 Term SOFR는 향후 금리 움직임에 대한 기대치를 나타낸다는 의미에서 'Forward-looking 금리'라 불리기도 한다. 암튼 CME社의 Term SOFR 금리 론칭 후 얼마 지나지 않아 대체지표금리위원회(ARRC)가 파생상품이 아닌 Cash 상품들의 경우에 한해 이 금리의 사용을 지지한다는 성명을 발표하였고, 기존의 기간물 LIBOR 연계 대출들을 동일 만기의 「Term SOFR + α」 형식으로 변경하는 방식이 대출 시장의 대세로 자연스레 자리매김하게 된다. Term SOFR로 전환하게 되면 금리의 픽싱 또한 과거 LIBOR의 경우처럼 'Fixing in Advance' 방식 그대로를 유지하게 되니 차주들에겐 매우 편리한 방식이라 할 수 있겠다.

근데 여기서 'α'가 앞에서 소개한 ISDA Spread와 같은 걸까? 정답: Yes and No. 뭐, ISDA Spread 값을 쓰는 게 대체지표금리위원회(ARRC)의 권장 사항이 맞긴 맞는데, 파생상품 시장과는 다르게 참여자들이 이를 일괄적으로 따랐던 건 아닌 듯싶다. 월스트리트저널紙를 포함한 해외 경제지들의 2023년도 상반기 보도들에 따르면, LIBOR의 종료를 얼마 남겨두지 않은 시점까지도 [특히 레버리지론(Leveraged Loan) 분야에서] 차주와 대주들 간에 α 값에 대한 많은 다툼이 있었다고 한다. 즉, 대주들은 α 값을 ISDA Spread와 대등한 수준으로 제시했지만, 차주들이 이를 조금이라도 더 낮추기 위해 강하게 반발하고 나섰던 것이다. 결국 수많은 대출(Loan) 계약들에서 α 값은 당사자들 간의 네고(or 줄다리기)를 통해 '케바케'식의 다양한 값으로 정해졌으리라 추측해 볼 수 있다. *참 재미진 세상이다, 세상이여... ㅎㅎㅎ ISDA의 명령(?)을 일괄적으로 따르기로 한 '착한' 파생상품 업계와 대조되는 부분이다... ㅎㅎㅎ*

이뿐만 아니다. 혹시라도 실수로 누락되거나 양자 간의 합의에 실패할 경우에 대비해서 LIBOR의 제대로 된 '대체 조항(Fallback Provision)'을 가지지 못한 계약들의 사동 전환을 위해 미국 연방정부는 2022년에 'LIBOR Act'란 법을 제정하기까지 하였다. *사실 이 법의 정식 명칭은 'Adjustable Interest Rate (LIBOR) Act'으로 좀 길다.* 이 LIBOR Act는 대체 조항이 아예 없는 경우뿐만 아니라 대체금리로서 LIBOR에 기초한 또 다른 금리를 명시했거나 혹은 은행간시장(interbank market)에서의 대출/차입 금리들의 호가에 의존한다고 명시한 계약들 또한 정부가 정한 벤치마크로의 자동 전환을 가능케 한다. *참고로 그렇게 (스스로) 전환이 힘든 계약들을 'tough legacy contract'라 부른다.* LIBOR Act 관련 최종 규칙(Final Rule)에 따르면, 파생상품의 경우는 IBOR 프로토콜과 준하는 전환 방식이 일괄 적용되고, Cash 상품의 경우엔 전반적으로 「Term SOFR + ISDA Spread」의 형식이 적용된다. *물론 LIBOR Act하에서 모든 Cash 상품들이 「Term SOFR + ISDA Spread」의 형식으로 전환되는 것은 아니고 예외적인 경우들이 일부 존재한다.*

다만 대체금리의 결정당사자(Determining Person)가 명확히 지정되어 있고, 계약상의 권리를 적법하게 행사해 정부의 권고 사항이 아닌 다른 인덱스를 대체금리로 선정하는 경우까지 LIBOR Act가 강제로 전환시키지는 못한다. 이는 'Fed Funds 금리' 혹은 'Prime 금리' 등의 현존하는 다른 인덱스들로 전환시킨다는 문구가 이미 명시되어 있는 계약들 또한 마찬가지이다. 따라서 계약서에 대체금리로 'Prime 금리'를 쓴다고 이미 명시됐을 경우, LIBOR 중단 이후 차주에게 엄청난 비용 상승이 발생할 수 있으므로 대주와의 협의를 통해 「Term SOFR + α」의 방식으로 계약을 변경시켜야 한다는 로펌들의 경고가 잇따르기도 했다. 참고로 Prime 금리란 미국 대형은행들이 우량 기업고객들에게 적용하는 금리를 의미하며 2023년 말 기준으로 무려 8.5%에 달한다. *ㅎㄷㄷ... ㅎㄷㄷ...*

이에 더해서 2023년 4월, 영국 금융행위감독청(FCA)은 인덱스 산출기관인 IBA가 달러물 '합성(Synthetic) LIBOR'란 것을 2024년 9월 말까지 고시할 것임을 추가로 발표하였다. 비록 1개월, 3개월, 6개월, 이렇게 3가지 만기만 존재하지만, 이는 앞에서 언급한 LIBOR Act의 적용을 받지 못하는 일부 미국법에 준거한 계약들뿐 아니라 영국법(English Law) 등 미국 외 다른 지역 준거법이 적용되는 계약들의 전환에 시간을 벌어주기 위함이다. 물론 「Term SOFR + ISDA Spread」 형식으로 IBA에 의해 산출되는 이 '합성 LIBOR'는 은행간시장 금리에 대한 '대표성(Representativeness)'을 가지는 인텍스가 더 이상 아님을 FCA는 명확히 했다. *이는 '대표성'을 잃을 경우 다른 금리 인텍스로 대체된다는 'Non-representativeness Trigger'가 삽입된 계약들에서는 Synthetic LIBOR가 사용되지 못함을 의미한다.*

마지막으로, 이번 편을 끝내기 전에 곁다리로 알려주고 싶은 점 한 가지는 Term SOFR와 연계된 스왑 및 파생상품 거래는 분명한 '헤지(hedge) 목적'이 아니면 권장되지 않는다는 입장을 ARRC가 계속해서 고수 중이라는 점이다. 물론 Term SOFR에 연계된 자산(asset) 혹은 부채(liability)가 존재하고, 이를 헤지하고자 하는 고객에게 딜러(dealer) 은행이 제공하는 것은 용인된다. 다만 마켓메이커인 딜러들 간의 Term SOFR 연계 스왑 거래나 Term SOFR 연계 자산 혹은 부채가 직접적으로 연관되어있지 않은 경우엔 *(딜러와 非딜러 간의 'Term SOFR-SOFR Basis Swap' 같은 일부의 예외들만은 제외하고)* 하지 말라는 게 ARRC의 입장이다. 이는 그냥 냅뒀다가 나중에 배보다 배꼽이 더 커지는 사태를 막기 위함으로 사료된다. 즉, Term SOFR는 기업의 사업용 대출(business loan) 같은 일부의 Cash 상품들에만 한정시키고 이것이 파생상품 시장의 대세가 되는 시장 왜곡 현상을 미리 막으려는 노력의 일환으로 볼 수 있다.

References

ARRC. 2023. "Summary and Update of the ARRC's Term SOFR Scope of

Use Best Practice Recommendations." The Alternative Reference Rates Committee. 31 April.

Bloomberg. 2021. "IBOR Fallbacks: Technical Notice – Spread Fixing Event for LIBOR." Bloomberg Professional Services. BISL. 5 March.

Bradley, Dana, and Nathan J. Moore. 2023. "LIBOR Fallback to Prime May Increase Corporate Loan Costs." Wilmer Cutler Pickering Hale and Dorr LLP. 26 October.

CME. 2022. "CME Conversion for USD LIBOR Cleared Swaps." CME Group. August.

Coffey, Meredith. 2022. "Synthetic LIBOR: What It Means for LIBOR Transition." Loan Syndications and Trading Association. 15 December.

FCA. 2023. "FCA announces decision on synthetic US dollar LIBOR." Financial Conduct Authority. 3 April.

Federal Reserve System. 2023. "Regulations Implementing the Adjustable Interest Rate (LIBOR) Act." *Federal Register*. 6 January.

ISDA. 2020. "ISDA 2020 IBOR Fallbacks Protocol (IBOR Fallbacks Protocol) FAQs." International Swaps and Derivatives Association, Inc.

ISDA. 2022. "Bloomberg published Fallback Rates: Interaction between RFR publications, IBOR Fallback publications and the ISDA Definitions."

International Swaps and Derivatives Association, Inc. 8 September.

LCH. 2023. "SwapClear USD LIBOR Conversion Quick Guide." LCH Group.

Maurer, Mark. 2023a. "Companies, Lenders Clash Over Loan Spreads in Switch From Libor." *Wall Street Journal*. 13 January.

_____. 2023b. "Libor's Last Users Face Challenges as the Deadline for Its Demise Nears." *Wall Street Journal*. 1 June.

금리스왑(IRS)

제26편 뭐시? 기간물 소퍼? Term SOFR?

이미 지난 편에서 맛배기 설명을 했지만서도... 2021년에 정식으로 데뷔(?)하신 '기간물 소퍼'님에 관해 이번 편에서 좀 더 자세한 썰을 풀어볼까 한다... 휴우... 우리가 사는 세상 참 복잡다단하다. *안 그려?* 아니, SOFR는 태생상 '익일물'인데, 3개월 LIBOR처럼 '기간물 소퍼'란 게 등장하다니... "이게 도대체 뭔 강아지 소리여?"라면서 이 복잡한 세상에 욕지거리를 날리고 싶은 금융 초보자들 많이 있을 거다... ㅎㅎㅎ ㅎㅎㅎ 하지만 세상이 싫어도 잠시만 화를 가라앉히자. 친절한 필자가 가능한 한 쉽게 (하지만 깊이 또한 어느 정도는 있게) 잘 설명해줄 거니껜...

지난 편에서 잠깐 언급했듯이, 기간물 SOFR는 바로 '선도이자율'과 유사한 개념으로 간주하면 이해하기 쉽다. 예를 들어 Term SOFR 3개월물이 현재 4%에 고시되고 있다면, 이는 시장이 향후 3개월간 매일매일 관찰되는 익일물 SOFR 금리들의 (복리)평균(Compounded Average)을 약 4%로 예상한다는 뜻 되겠다. 만약 오늘자 SOFR 금리가 2%밖에 되지 않는다면, 시장은 3개월 동안 엄청난 금리 상승을 예상·전망하고 있다는 얘기인 것이다. 반대로 오늘 자 SOFR 금리가 6%인데 Term SOFR 3개월물이 4%밖에 안 되다면, 이는 향후 3개월간 엄청난 금리 하락을 시장이 예상하는 거겠고... *뭐, 여까지는 쉽다...*

근데 CME는 이걸 도대체 어떻게 산출할까? 계산 방식을 쪼끔이나마 알고 싶지 않나? ㅎㅎㅎ 해당 인덱스에 대한 조금은 더 깊은 이해를 가능케 하기 위해 CME가 요거를 어떻게 산출하는지, 그 과정을 아래에 간략하게나마 보여줄까 한다. 다만 당신이 '금융공학'에 관심 있는 이공계 학생이고 방법론(Methodology)에 대해 더 깊이 알고 싶다면 CME (2022) 원문을 직접 읽어보기를 추천하는 바이다... *근데 영어 독해가 안 돼서 못 한다꼬? ㅠㅠ 쿨럭...* 그럼 먼저 다음의 심플한 가정들을 해볼까나? *항상 가정만 더립다 하는 '가정쟁이' Dr. HikiEconomist... (-_-;)* 시장에 3개월 만기 SOFR 금리 선물(Futures)상품이 존재하고, 이 선물 가격에 내포돼있는 향후 3개월간 일일 SOFR 픽싱들의 (복리)평균값이 대략 4%라는 가정을 함 해보자. 그리고 어제 자 SOFR 금리는 2%밖에 되지 않는 상황을 머릿속에 망상상상해보자... 바로 아래의 Figure 1처럼 말이다:

〈Figure 1〉

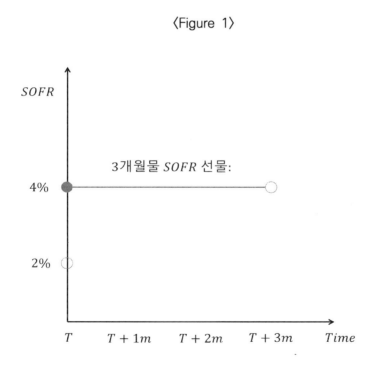

Figure 1은 어제 자 SOFR 금리는 비록 2%지만, SOFR가 앞으로 3개월간 평균적으로 약 4% 상당에 픽싱될 것임을 시장이 선물을 통해 전망하고 있음을 나타낸다. 그런네 날이다... 3개월 만기 SOFR 금리 선물 가격이 나타내는 건 향후 3개월간의 SOFR 금리의 '평균적'인 수준일 뿐, 이것만 가지고는 매일매일 SOFR가 어떻게 변할지 그 이동 경로의 '자세한' 예측은 불가능하다. 수많은 가능한 시나리오들 중 한 가지를 예로 들어보자:

〈Figure 2〉

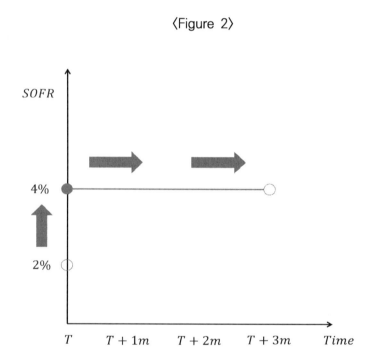

흠... 한 가지 가능한 시나리오는 Figure 2에서처럼 오늘 당장 금리가 4%로 점프(!)하고, 향후 3개월간 쭈~~~욱 금리가 4%에 그대로 머무는 것이겠다. 이 경우 3개월간 평균치는 당연히 4%로 계산될 수 있으니깐... 근데 너무나 당연히도 Figure

2처럼 오늘 당장 점프(!)하는 경우만 가능한 건 물론 아니겠다. 아래와 같은 점진적인 상승의 경우 또한 여러 가능한 시나리오 중의 하나일 거다:

<Figure 3>

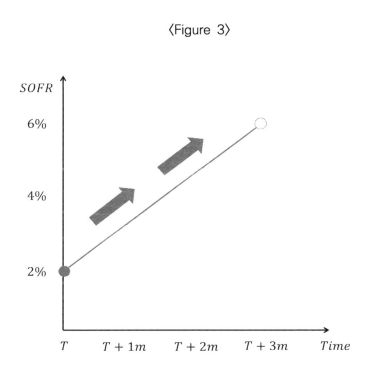

흠... 어디 보자... 위의 Figure 3은 SOFR 금리가 오늘 2%에서 선형적으로 계속 상승해 나가서 3개월 후에는 무려 6% 레벨에 도달하는 시나리오를 보여주고 있다. 이 경우 또한 3개월간의 평균을 내보면 대충 4%일 테니, 가능한 시나리오에 속한다 할 수 있겠다. 물론 위에서처럼 선형적으로 계속 오르지 않아도 평균 4%에 도달할 수 있는 시나리오는 무수히 많을 거다. 여러 가능한 비선형적(non-linear)인 금리의 움직임들 중 처음부터가 아니라 중간 중간 여러 번에 걸쳐 금리가 점프하는 경우도 내친김에 한번 감상해 볼까나?

〈Figure 4〉

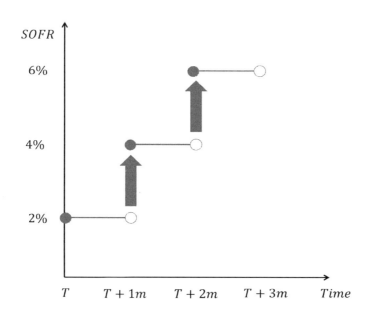

위의 Figure 4는 2%인 SOFR 금리가 1개월 후에 4%로 한 번 점프(!)하고, 그로부터 1개월 후에 또 한 번 6%로 점프(!)하는 모습을 보여주고 있다. 이 경우에도 첫 한 달간은 2%, 그다음 한 달간은 4%, 마지막 한 달간은 6%니, 평균 내면 대략 4%가 된다.

어떤가, SOFR가 어떻게 움직여야 3개월간 평균적으로 4%가 될지 가능한 시나리오는 정말 철철 넘친다 할 수 있겠다. 따라서 금리의 일일(daily) 움직임을 어떻게든 임의로 예측해야 하는 입장인 CME는 한 가지 역치합리적인 가정을 들이민다; 어떤 가정이냐면, SOFR 금리가 평소에는 안 움직이다가 연준의 FOMC 회의 직후에만 위 또는 아래로 '점프(!)' 한다는 가정 되시겠다. 다음 그림처럼 말이다:

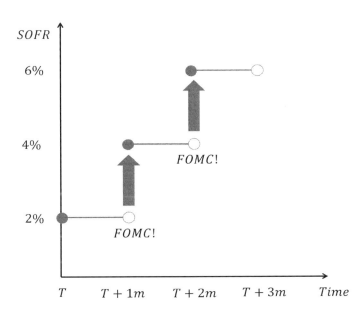

ㅎㅎㅎ 그니깐 'SOFR 금리님'께서 '점프 스킬'을 시전하시는 날들을 FOMC 직후로만 한정시키는 거다. *아마 세상만사 편해져브러~~~* 참고로 위 Figure 5에서는 기준금리를 결정하는 FOMC 회의가 3달간의 관찰 기간 동안 1달 후 시점과 2달 후 시점, 이렇게 총 두 번 열리는 시나리오를 가정하였다.

그런데 만약 3개월이란 관찰 기간 내에 FOMC가 한 번밖에 열리지 않는 경우를 가정해본다면? 흠... 함 생각해 보자... 이 경우 SOFR 금리가 현재의 2%에서 3개월간 평균 4%를 찍으려면 훨씬 더 큰 폭의 (한 번의) 점프가 필요함을 알 수 있다. 만약 FOMC가 '2개월 후' 시점에 단 한 번만 열리는데도 3개월 평균 4%를 찍는다면, 그건 다음을 의미하는 거겠다:

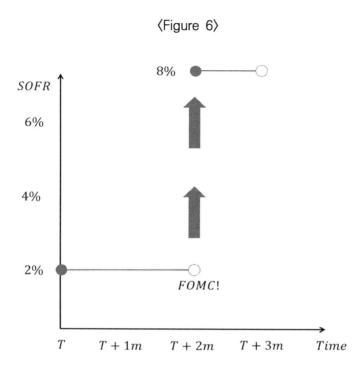

〈Figure 6〉

그렇다, 이 경우 3개월 평균 4%를 찍으려면 2개월 후에 금리가 무려 8% 상당으로 자이언트 점프(!)를 해야만 함을 알 수 있다. ㅎㄷㄷ... ㅎㄷㄷ... CME는 이처럼 시장에서 거래되는 SOFR 금리 선물 가격들에 기초, 각 FOMC 직후 시점에만 SOFR 금리가 점프한다는 단순화된 가정하에서 SOFR의 미래 움직임을 예측하고 있다.

※ *사실 절대 억지스러운 가정은 아니다. SOFR와 Fed Funds Target Rate의 히스토리컬 데이터를 살펴보면 평소에는 조용하다가 금리 인하·인상기에 Target Rate이 점프할 때마다 SOFR도 같이 점프하는 모습을 보여왔으니깐...*

물론, 당연히 위의 심플해 보이는 예시에서와는 달리 실제 계산 과정은 꽤나 복잡하다. CME는 5개의 3개월 SOFR 금리 선물 가격들에 더해 13개의 연속적인 1개월 SOFR 금리 선물 가격들까지 '종합적으로' 감안해서 금리의 향후 움직임을 예측하기 때문이다. 그니깐 선물 총 18개를 가지고 이것들을 이어붙여가면서 SOFR 금리의 움직임을 그려나가는 것이다. CME는 이 과정을 아래와 같은 '거미줄' 그래프를 통해 초보자들에게 아주 쉽게(?) 설명해 주고 계시다: *(- -:)*

〈Figure 7〉

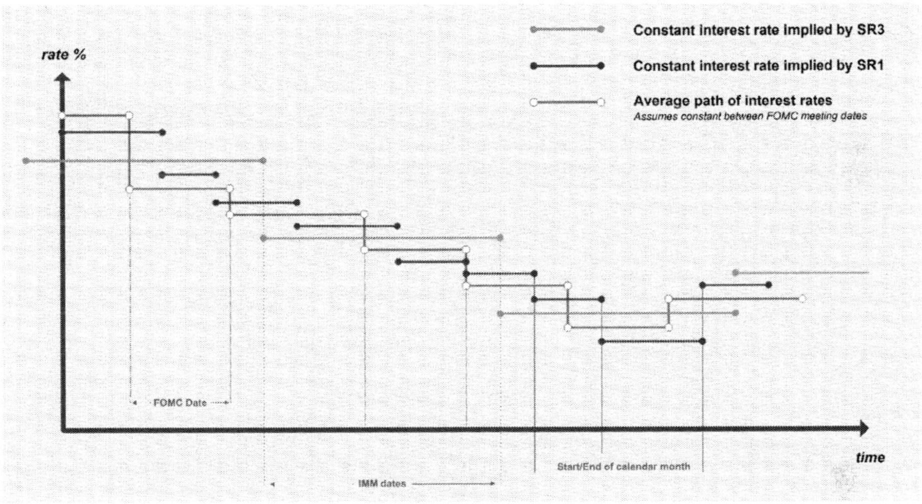

Source: CME (2022)

※ **참고:** *예를 들어 9월의 세 번째 수요일에 만기가 도래하는 3개월 SOFR 선물의 이자 계산기간은 6월의 세 번째 수요일부터 시작하고, 12월의 세 번째 수요일에 만기가 도래하는 3개월 SOFR 선물의 이자 계산기간은 9월의 세 번째 수요일부터 시작하는 식이다... 따라서 이것들의 가격들을 연속적으로 가져다 붙이면 위와 같은 거미줄 그래프를 그릴 수 있다...*

ㅎㅎㅎ 아, 참 보기 쉽네, 쉬워... 고맙습니다, 감사합니다, CME님, 꾸벅... 데이터의 시각화(visualization)를 위해 정성들여 친절히 그림까지 그려주시고... *사실 쳐다*

만 봐도 머리가 어질어질... ㅎㅎㅎ ㅎㅎㅎ 암튼 이러한 SOFR 금리 움직임의 모델링은 다음의 수식으로 표현된다:

$$f(t;\Theta) = \theta_0 + \sum_k \theta_k \times 1\{t > M_k\} \tag{1}$$

수식 (1)에서 'θ_0'은 현재 시점의 SOFR 금리를 나타내며, 'θ_k'는 'k'번째 FOMC 직후 발생하는 SOFR 금리의 점프 사이즈를, 그리고 그 뒤에 붙은 건 FOMC가 이미 개최된 시점인지 아닌지를 나타내는(= 0 or 1) 단순한 이항(binary)변수 되시겠다... 휴우... 여기서 아주 쪼끔만 더 들어가자면, CME (2022)는 아래의 최적화 함수(optimization function)를 설정, 그 값을 최소화(minimize)시키는 'θ_k' 값들 (= Θ)을 찾아낸다고 설명한다:

$$\min_{\Theta} \left\{ \left[\sum_{m=0}^{12} w_m^1 \times \left(p_m^1 - \hat{p}_m^1(\Theta) \right)^2 + \sum_{q=0}^{4} w_q^3 \times \left(p_q^3 - \hat{p}_q^3(\Theta) \right)^2 \right]^{\frac{1}{2}} \right. \\ \left. + \lambda \times \left[\sum_k (\theta_k)^2 \right]^{\frac{1}{2}} \right\} \tag{2}$$

여긴 어뒤? 나는 뉘구??? 쿨럭. (-_-;) ㅎㅎㅎ ㅎㅎㅎ 패닉하는 초보자들을 위해 말로 대충 썰을 풀어보자면, 위의 최적화 함수에서 첫 번째 대괄호 부분은 총 13개의 연속적인 1개월 선물들 및 총 5개의 연속적인 3개월 선물들의 실제 가격과 CME의 선도금리 추정치에 의거해 계산된 가격 사이의 차(좀 더 정확히는 'root mean squared errors')를 최소화시키려는 목적의 수식이며, 뒤의 대괄호 부분은 점프가 한 번에 너무 크게 발생하는 시나리오에 페널티를 주기 위한 수식이다. 예를 들어

3개월 안에 FOMC가 2번 개최될 경우, 둘 중 한 번만의 큰 점프 시나리오보다는, 두 번에 걸친 점진적인 점프 시나리오에 점수를 더 줌으로써 금리 인상이나 인하가 점진적으로(gradually) 발생할 가능성에 더 무게를 두는 것이다... 암튼 상기의 과정을 통해서 [목적 함수를 최소화시키는] 최적의 'θ_k' 값들을 찾아낸 후 수식 (1)의 'f(t;Θ)' 값들을 계산해내고, 또 이를 아래의 친숙한(?) 일복리 수식에 다시 대입해서 각 기간별 Term SOFR가 산출된다 정리할 수 있겠다:

$$ h\left(T\right) = \left[\prod_{t \in \widetilde{T}(T)} \left(1 + \frac{f\left(t;\Theta\right) \times d_t}{360} \right) - 1 \right] \times \frac{360}{T} \qquad (3) $$

휴우... 썰 푸는 것도 참 힘드네그려... ㅠㅠ ㅠㅠ 뭐, 어쨌든 이런 과정을 거쳐서 억지로 산출되는 값이 바로 '기간물 SOFR'인 것이다. 지난 편에서 언급했었지만, 일각에서는 이게 선물 가격들로부터 유추한 미래의 SOFR 움직임을 반영하기에 'Forward-looking 금리'라는 표현도 많이들 쓰고 있고...

근데 3개월 LIBOR 금리와 Term SOFR 3개월물은 서로 비교될 수 있는 것일까? 필자가 정리해 주자면, 'Term SOFR'는 그냥 SOFR라는 무미건조한 익일물 금리가 향후 몇 개월간 평균적으로 어떻게 움직일지 시장에서 예측하는 값 정도의 의미이기에, 여기에는 LIBOR와는 달리 은행들의 신용 스프레드 및 유동성 프리미엄이 내재되어있지 않다. 따라서 LIBOR와 비슷한 개념으로 억지로 만들려면 Term SOFR에다가 이를 인위적으로 반영하는 과정이 필요하며, 전편에서 알려줬듯이 'Term SOFR'에 일정 스프레드(e.g. ISDA Spread)를 더해주는 방식으로 기체결된 LIBOR 연계 대출들의 상당수가 전환된 바 있다.

Whew,,, 이제 대충 다 커버된 듯하다... 다소 테크니컬하고 재미없었더라도 본 편을 참을성을 가지고 꼼꼼히 읽은 초보자들은 이제 기간물 SOFR란 놈이 어떤 놈인지, 그리고 어떻게 추출되는지, 이것이 가진 의미는 뭔지, LIBOR와는 또 어떻게 다른지 등등에 관해 거의 완벽히 이해했으리라 믿는다. 좀 나쁘게 말하자면 살짝 심플한 기본 가정에 의거해 역자인위적으로 뽑아낸, 뭔가 인조 괴물 인덱스 같은 느낌(?)이라 할 수 있겠다... *금리계의 '프랑켄슈타인'이라고나 할까?* ㅎㅎㅎ ㅎㅎㅎ

물론 본 편에서는 엑기스만 뽑아 쉽게 설명한 거고, 전체 산출 과정을 자세히 살펴보면 훨씬 더 복잡한 디테일들이 있다. 금융공학에 관심 있는 '이공계' 학생들은 CME (2022)를 위시해서 관련 Literature들을 찾아서 스스로 더 공부해 나가길 바라 본다. 물론 세상이 너무 쉽기만 한 수많은 금융계 틀딱 '마바라'들은 그런 노력도 하나 없이 본인이 Term SOFR에 대해 아주 잘 안다고 이미 정신승리하고 있겠지만 말이다... *그들의 정신 세계는 도대체 어디로부터 오는가... (-_-;)...* 필자의 교재로 금융 공부를 시작하는 젊은이들은 절대 그런 '마바라'가 되지 않을 거라 믿어 의심치 않는다.

Lastly, and as always, 필자는 예전의 LIBOR가 더 정감 가고 좋다...

References

Allen & Overy. 2022. "Time for Term SOFR?" Allen & Overy. 26 May.

CME. 2022. "CME Term SOFR Reference Rates Benchmark Methodology." CME Group Benchmark Administration Limited. Version 1.4.1. 3 November.

부록(Appendix)

제27편 수포자를 위한 특강: 화폐의 시간 가치

개정판을 위해 특별히 준비한 이 부록 편에서 커버할 내용은 금융(Finance) 분야 입문자라면 꼭 이해하고 넘어가야 할 기초 중의 기초인 관계로, 독자들은 절대로 무시무시한 '금융수학'이 아닌 '금융산수'(?) 정도로 받아들였으면 좋겠다. 비단 금융 분야 입문자들뿐 아니라 앞으로 '경제학(Economics)'을 공부하고 싶은(or 해야만 하는) 이들도 공부해두면 매우 유용한 산수 지식이라 얘기해 주고 싶다.

암튼 이번 편은 '문과생 마인드'를 가진, 경제와 금융을 더 알고는 싶은데 수학산수를 무서워해서 앞으로 나가지 못하고 있을 수많은 초보자들을 위한 스페셜 챕터 되겠다. 필자도 그 옛날 *쪼끄맸던* 시절, 복잡한 공식들만 아무 이해 없이 달달 외워서 시험 문제들을 풀어나가야 했던 안습 시절이 있었더랬다. 필자가 젊었던 그 옛날 옛적에 느꼈던 'Frustration(욕구불만)'을 그대로 느끼고 있을 오늘날의 젊은이들에게 이 [사실상 독립된 챕터의] 내용이 도움이 되었으면 한다.

금융 및 금융산수 입문 과정에서 가장 필수적인 토픽을 꼽으라면 필자는 바로 '화폐의 시간 가치(Time Value of Money)' 및 복리, 그리고 이와 관련된 산수를 꼽을 것이다. 이에 대한 충분한 이해가 선행되지 않고서는 초보자가 더 진도를 빼기란 참으로 힘든 일이기 때문이다. 산수가 무셔븐 수포자들도 이번 편에서 필자와 함께 'Step-by-Step'으로 따라가다 보면 이해가 절로 될 터이니 절대 쫄 필요 없다고 미리 말해준다. *인생사 별거 있나... 쫄긴 왜 쫄아...*

Okay, 그럼 아주~ 쉬운 예부터 시작해 보자. '연복리(Annual Compounding)'의 가정하에서 1년 예금 금리가 5%라면, 1년 뒤에는 원금 $100이 얼마로 불어날까?

$$원금 + (원금 \times 이자율)$$
$$= 원금 \times (1 + 이자율)$$
$$= \$100 \times (1 + 5\%)$$
$$= \$105$$

정답: $105. 아이고야, 너무 쉬워브렀다. 뭐 대단한 걸 기대한 독자들에게는 미안타. 그래도 시작은 원래 쉬워야 한다. 그래야 어려운 고지까지 차근차근 워킹이 가능하니깐. *(참고로 위의 계산 값은 아직 복리 효과가 발생하기 전이라 사실상 '단리(Simple Interest)' 가정의 경우와 같다.)* 만약 2년 만기 정기예금 금리도 똑같이 5%(p.a.; 연율)로 가정한다면, $100이 2년 뒤에는 '연복리'로 인해 얼마로 불어날까?

$$[원금 + (원금 \times 이자율)] + [원금 + (원금 \times 이자율)] \times 이자율$$
$$= 원금 \times (1 + 2 \times 이자율 + 이자율^2)$$
$$= 원금 \times (1 + 이자율)^2$$
$$= \$100 \times (1 + 5\%)^2$$
$$= \$110.25$$

정답: $110.25. 군이 복잡한 3년의 예까진 안 보여주더라도 대부분의 사람들은 이미 촉이 왔을 거다. [만기일시지급식 정기예금의] 원금이 위와 같이 불어나는 모습은 아래의 수식 형태로 일반화해서 표현될 수 있다:

$$FV = PV \times (1+r)^n \tag{1}$$

$where$

FV = 미래 가치 ($Future\ Value$)
PV = 현재 가치 ($Present\ Value$)
r = 이자율 (연율)
n = 예금 만기 (단위 : 년)

따라서 3년 후의 금액은 (1+r)의 '세제곱'을 원금에 곱하면 구할 수 있고, 4년 후의 금액은 (1+r)의 '네제곱'을 곱하기만 하면 된다. 지금까지는 쉬웠다. 연복리를 가정했기 때문이다.

근데 반기복리(Semiannual Compounding)를 가정하면 여기서 뭐가 달라질까? 뭐, 6개월마다 늘어나는 금액에 이자가 붙으니 연복리의 경우보단 예금자에게 조금 더 이익이겠다. 이자율 'r'이 만기에 상관없이 5%(p.a.; 연율)로 동일하다는 단순한 가정하에서 $100을 6개월 만기 정기예금에 넣어두면 만기에 상환 받게 되는 금액은 다음과 같을 것이다:

$$원금 + \left(원금 \times \frac{이자율}{2}\right)$$
$$= 원금 \times \left(1 + \frac{이자율}{2}\right)$$

$$= \$100 \times \left(1 + \frac{5\%}{2}\right)$$

$$= \$102.50$$

이는 반기 복리를 가정하면 6개월 후에는 $100이 아니라 $102.50에 이자가 붙어 계산될 것임을 의미한다... 예금자에게는 참으로 '개꿀' 상황이 아닐 수 없다. 따라서 이 경우 $100은 1년 후에 다음의 금액으로 불어나게 될 것이다:

$$\left[원금 + \left(원금 \times \frac{이자율}{2} \right) \right] + \left[원금 + \left(원금 \times \frac{이자율}{2} \right) \right] \times \frac{이자율}{2}$$

$$= 원금 \times \left(1 + \frac{이자율}{2}\right)^2$$

$$= \$100 \times \left(1 + \frac{5\%}{2}\right)^2$$

$$\approx \$105.06$$

내친김에 1년 6개월 후와 2년 후도 함 계산해 볼까나?

$$1년 6개월 후 금액$$

$$= 원금 \times \left(1 + \frac{이자율}{2}\right)^3$$

$$= \$100 \times \left(1 + \frac{5\%}{2}\right)^3$$

$$\approx \$107.69$$

$$\text{2년 후 금액}$$

$$= \text{원금} \times \left(1 + \frac{\text{이자율}}{2}\right)^4$$

$$= \$100 \times \left(1 + \frac{5\%}{2}\right)^4$$

$$\approx \$110.38$$

'연복리'를 가정했을 때보다 2년 후 약 13 센트(cents) 정도 더 받게 된다... 애걔~ 겨우~ 개미 꼬딱지만큼이라꼬??? 아니다. 원금을 100 딸라로 가정해서 그렇지 사 딸라백만 딸라, 천만 딸라, 억 딸라, 이렇게 높아지면 질수록 꽤 짭짤한 수입이 될 수 있으니껜... 내친김에 '분기복리(Quarterly Compounding)'의 경우까지 예시로 함 계산해 볼까? *동일한 이자율 5%(p.a.; 연율)을 이번에도 계속 가정해 보자.*

$$\text{3개월 후 금액}$$

$$= \text{원금} \times \left(1 + \frac{\text{이자율}}{4}\right)$$

$$= \$100 \times \left(1 + \frac{5\%}{4}\right)$$

$$= \$101.25$$

$$\text{6개월 후 금액}$$

$$= \text{원금} \times \left(1 + \frac{\text{이자율}}{4}\right)^2$$

$$= \$100 \times \left(1 + \frac{5\%}{4}\right)^2$$

$$\approx \$102.52$$

9개월 후 금액

$$= 원금 \times \left(1 + \frac{이자율}{4}\right)^3$$

$$= \$100 \times \left(1 + \frac{5\%}{4}\right)^3$$

$$\approx \$103.80$$

1년 후 금액

$$= 원금 \times \left(1 + \frac{이자율}{4}\right)^4$$

$$= \$100 \times \left(1 + \frac{5\%}{4}\right)^4$$

$$\approx \$105.09$$

1년 3개월 후 금액

$$= 원금 \times \left(1 + \frac{이자율}{4}\right)^5$$

$$= \$100 \times \left(1 + \frac{5\%}{4}\right)^5$$

$$\approx \$106.41$$

헉헉헉... 아이고야... 이걸 이렇게까지 일일이 계산해서 식과 함께 보여주는 교재는 아마 시중에 없을 듯... ㅎㅎㅎ ㅎㅎㅎ 필자가 누누이 얘기하지만 뭐든 자기 것으로 만들려면 직접 이거저거 삽질도 해보고 발로도 해보고 손으로도 해보고 해야 한대니... 그냥 누가 정리해서 던져주는 공식만 달랑 외워버리면 나중에 머릿속에 아무 것도 안 남음... 그래서 좀 바보 같지만 저렇게 일일이 보여주는 거임... 암튼 연복리나 반기복리의 경우보다 분기복리의 가정하에서 예금액이 더 빨리 불어나는 걸 확인할 수 있다. 이제 위와 같은 '복리 빈도(Compounding Frequency)'의 차이까지 감안한 일반화된 수식을 소개할 차례다:

$$FV = PV \times \left(1 + \frac{r}{k}\right)^{kn} \qquad (2)$$

$where$

$k = $ 복리 빈도 $(Compounding\ Frequency)$
$\quad (= 1\,(연복리\,); = 2\,(반기복리\,); = 4\,(분기복리\,), etc.)$

앞의 수식 (1)에 복리의 빈도를 나타내는 'k'가 추가된 것뿐, 그 외에 달라진 건 없다. 근데 말이다... 지금까지 우리가 계산하기로 복리의 주기가 짧아질수록(= 복리 빈도가 늘어날수록) 예금자들은 '개꿀'이었지 않나... 위에서 보여주지는 않았지만 만약 월복리(Monthly Compounding)를 가정하면 좀 더 '꿀'일 거고, 일복리(Daily Compounding)를 가정한다면 그건 더더욱 '꿀'일 거고... 여기서 한 발짝 더 나아가서 시복리(Hourly Compounding), 분복리(Minutely Compounding), 초복리(Secondly Compounding), 나노... *쿨럭* 등등까지 계속 상상의 나래를 펼쳐볼 수 있지 않을까? 그러한 상상의 끝판왕은 과연 어디일까? 당연히 '연속복리(Continuous Compounding)'라는 개념 되겠다. 그니깐 일복리, 시복리, 분복리, 초복리 이런 식으로 계속 끊임없이 복리의 주기를 짧게 만들어 간다는(= 복리 빈도를 늘려간다는) 상상하에서, 복리 주기가 '무한대'로 짧아지는(= 복리 빈도가 '무한대'로 늘어나는) 모습을 수식으로는 아래와 같이 표현할 수 있다:

$$FV = \lim_{k \to \infty} PV \times \left(1 + \frac{r}{k}\right)^{kn} \tag{3}$$

위의 (3)은 '자연상수(e; Euler's number)'란 개념을 사용해 아래와 같이 재표현이 가능하다:

$$since \; e^r = \lim_{k \to \infty} \left(1 + \frac{r}{k}\right)^{k}, \tag{4}$$

$$FV = \lim_{k \to \infty} PV \times \left(1 + \frac{r}{k}\right)^{kn} = PV \times e^{rn}$$

(4)에서 처음에 등장하는 수식은 그냥 '자연지수함수(Natural Exponential Function)'란 것의 정의(definition)이니 문과생들은 이게 어디서 왔는지 의아해하며 넘 머리 아파하지는 말자. *그냥 받아들임이 정신건강에 더 좋... 쿨럭... 근데 저게 어떻게 Derive된 건지가 궁금해진다면 그럼 당신은 '문과생 마인드'가 아니란 얘기인 거다... Good news!!! ㅎㅎㅎ* 자~~ 그럼 이제 '연속복리'의 가정하에서 예시로 한번 3개월, 6개월, 9개월, 12개월 후에 $100의 원금이 각각 얼마로 불어나는지를 계산해볼까나? 이왕 한 김에 손, 발, 삽질 다 해보자...

3개월 후 금액

$$= 원금 \times e^{r\,n}$$

$$= \$100 \times e^{0.05 \times 0.25}$$

$$\approx \$101.26$$

6개월 후 금액

$$= \$100 \times e^{0.05 \times 0.5}$$

$$\approx \$102.53$$

9개월 후 금액

$$= \$100 \times e^{0.05 \times 0.75}$$

$$\approx \$103.82$$

1년 후 금액

$$= \$100 \times e^{0.05 \times 1}$$

$$\approx \$105.13$$

헉헉헉... 아이고야... 이번에도 길었다, 길었어... 결국 복리의 끝판왕(?)이라 할 수 있는 '연속복리(Continuous Compounding)'를 가정하면 앞의 예들에서보다 더 많은 이자를 예금자에게 지급하는 것으로 계산된다. 물론 겨우 100 딸라어치의 원금을 가정했기에 그 임팩트가 매우 미미해 보일 수 있긴 하지만 말이다... 각 복리 빈도 가정별 원금 $100이 불어나는 속도의 차이가 한 눈에 들어올 수 있도록 Table 1에 다음과 같이 정리해 보았다:

〈Table 1: 복리 빈도별 $100이 불어나는 시나리오 (연이율 5% 가정)〉

	연복리	반기복리	분기복리	연속복리
3개월 후	–	–	$101.25	$101.26
6개월 후	–	$102.50	$102.52	$102.53
9개월 후	–	–	$103.80	$103.82
1년 후	$105.00	$105.06	$105.09	$105.13
1년 3개월 후	–	–	$106.41	$106.45
1년 6개월 후	–	$107.69	$107.74	$107.79
1년 9개월 후	–	–	$109.09	$109.14
2년 후	$110.25	$110.38	$110.45	$110.52

이제 여기서 생각을 '거꾸로' 함 해보자. 지금까지는 원금이 미래에 얼마로 불어나는지에 초점을 맞췄다. 그러면 반대로 미래에 받게 될 금액(FV)을 현재가치(PV)로 환산하는 것도 가능하지 않을까? 당연히 가능하다. 미래가치(FV)를 현재가치(PV)로 땡겨오는(?) 작업을 학계와 금융업계에서는 '할인(discounting)'이라는 이름으로 부른다. 이는 단순히 다음과 같이 FV에서 PV로 거꾸로 전환시키는 과정을 의미한다:

$$FV = PV \times e^{rn} \tag{5}$$

$$\Rightarrow PV = FV \times e^{-rn}$$

(5)는 그냥 수식 (4)를 재정렬(rearrange)한 것뿐이다. 참고로 (5)에서 우변의 FV 뒤에 곱해주는 'e^{-rn}' 값을 '할인인자(Discount Factor; 할인요소 or 할인계수)'라는 이름으로 부른다.

그럼 할인율은? 할인율은 바로 'r'이다. *참고로 많은 금융계 마바라들이 '할인율 (Discount Rate)'과 '할인인자(Discount Factor)' 두 개를 구분 못 하고 혼용하며 쓰니 초*

보자들은 이들 땜시 괜히 헷갈리지 않도록 주의하자. (-_-;) 암튼,,, 할인인자만 있으면 FV에 그냥 곱해버리면 PV를 바로 구할 수 있으므로 매우 매우 유용한 놈(?)이라 할 수 있겠다. 추가적으로, 만약 이자율 'r'이 불변하는 상수(constant)가 아니라 시간(t)에 따라 변한다는 좀 더 고급진(?) 가정하에서는 수식 (5)가 다음과 같이 살짝 더 복잡해진다:

$$PV = FV \times \exp\left(-\int_0^n r(t)dt\right) \tag{6}$$

다만 대부분의 초보자들은 [금융공학 쪽으로 더 공부하고 싶지 않은 이상] (6)까지 자세히 들여다 볼 필요는 없고, 금융·경제를 앞으로 더 공부해나가면서 '$e^{-r \cdot n}$'이 앞이나 뒤에 붙은 수식들과 마주친다면, "아, 저거는 단순히 '연속복리' 가정하에서의 '할인인자'를 나타내는 거구나~"라고 생각하고 넘어가면 된다. '$e^{-r \cdot n}$'은 미래의 현금 흐름 FV를 PV로 전환(= 할인)할 때 유용하게 쓰이는 '일개' 할인인자일 뿐, 절대 두려움의 대상으로 볼 필요는 없다. *Euler's number가 주는 무시무시함에서 많은 문과생들이 이제는 벗어났길 기대해 본다.*

Epilogue

이 책은 '채권'과 '선형 파생상품'이란 토픽들에 관심 있는 학생들 및 금융업계 입문자 혹은 입문 희망자들을 위해 필자가 집필한 총 두 권의 책 중 전편 격이다. 비단 금융(Finance)이라는 분야에 흥미를 가진 대학생들뿐 아니라 관련 분야의 각종 자격증 취득을 위해 공부하고 있는 많은 젊은이들에게도 유용한 백그라운드를 제공하리라 본다. 물론 이 책이 가장 유용할 대상은 바로 글로벌 투자은행, 증권사, 시중은행의 딜링룸, 자산운용사, 그 외 각종 금융기관들에서 커리어를 시작하고 싶은 이들이겠다.

곧 이어서 후편 격인 '선형 파생상품(Linear Derivatives)'에 포커스를 맞춘 교재(개정판) 또한 출간 예정에 있다. 파생상품을 이해하기 위해서는 '채권'이란 기초적인 'Cash 상품'에 대한 이해가 기본적으로 선행되어야 하기에, *(물론 또 다른 Cash 상품인 '주식'에 대한 이해도 있어야 하겠지만, '주식'은 좀 많이 쉽지 않나... 따로 안 배워도 요새는 아무나 '주식'하니깐... 쿨럭. (-_-;))* 채권 및 채권의 이웃사촌 격인 '금리스왑' 편으로 그 스타트를 먼저 끊어보았다. 본 편에서 다루지는 않았지만, 외환(Foreign Exchange; FX)이라는 또 다른 거대 금융 시장도 일부 파생상품을 이해하는 데 필수 요소로 자리하고 있다. 외환 분야와 관련해서는 이어지는 '선형 파생상품' 편에서 심층적으로 커버하였음을 알린다.

필자가 젊었을 적에는 아쉽게도 어려운 개념들을 가능한 한 쉽게, 그리고 재미난 방식으로 설명해주는 책들은 시중에 존재하지 않았었다. 다들 글쓴이 본인만 알아들을 수 있는 너무나 어렵고 딱딱한 설명들로 가득 찬, 졸음만 일으킬 뿐인 책이나 교재들이 전부였었다. 구세대적인 진부한 설명과 교육 스타일에 왕(?)짜증이 난 오늘날의 모든 젊은이들에게 이 책이 각종 어려운 금융 개념들을 조금은 더 재미있고 조금은 더 쉬운 방식으로 이해하는 데 있어 일말이라도 도움이 되었으면 하는 바람이다.

태어나서 난생 처음 보거나 배우는 것은 이해가 바로 안 가는 것이 어찌 보면 당연하다. 한 번 보고 이해가 가지 않는다고 포기하기엔 이르다. 어렵더라도 몇 번이고 반복해서 읽고 생각하다보면 어느 순간 이해갈 거라 감히 말해주고 싶다. No pain, no gain. 모두들 건투를 빈다.

Dr. HikiEconomist